WATAHA PUTINA

Copyright © Witold Jurasz, Hieronim Grala, Czerwone i Czarne

Projekt okładki
Paweł Panczakiewicz/PANCZAKIEWICZ ART.DESIGN

Korekta
Agnieszka Gzylewska

Skład
Tomasz Erbel

Czerwone i Czarne Sp. z o.o. sp. k.
ul. Puławska 314,
02-819 Warszawa

Druk i oprawa
Abedik
Poznań

Wyłączny dystrybutor
Dressler Dublin sp. z o.o.
ul. Poznańska 91, 05-850 Ożarów Mazowiecki
tel. (+ 48 22) 733 50 31/32
e-mail: dystrybucja@dressler.com.pl
www.dressler.com.pl

ISBN 978-83-66219-75-5

Warszawa 2023

WATAHA PUTINA

Witold Jurasz, Hieronim Grala

Warszawa 2023

Rozdział I
Putin

Jak Putin idzie do władzy

Witold Jurasz: Gdy mówi się o Putinie, zawsze podkreśla się jego wszechwładzę i zdecydowanie. Wiemy, że nie był zawsze wszechwładny, bo na początku był jedynie pierwszym pośród równych sobie. Potem stał się sędzią, rozjemcą między frakcjami i dopiero później sięgnął po pełnię władzy. O ile na początku był oświeconym carem – reformatorem, to z czasem stał się już tylko carem bez tego elementu reformatorskiego, a jeszcze później władcą absolutnym, który mało kogo chyba już słucha. Z kolei owo zdecydowanie, umiejętność podejmowania decyzji, też ewoluowało. Zastanawiam się, czy żeby zrozumieć, kim on naprawdę jest, trzeba obserwować go w tym obecnym, finalnym zapewne wcieleniu, czy też przyjrzeć się jego początkom. Jak idzie do władzy nowy car?

Hieronim Grala: Początki były skromne. Mam gdzieś w archiwum zdjęcia Putina z początku lat dziewięćdziesiątych, które mój kolega ze studiów, wtedy wicekonsul, zrobił w Konsulacie Generalnym RP w Petersburgu. Putin tam wygląda jak nadliczbowe, wyrzucone z gniazda, wronie pisklę – tu jakieś pióro sterczy, tam jakaś opadająca powieka, skrzywiony dziób. Słowem – nie żul i nie kloszard, tylko taki zabiedzony sowiecki urzędnik drugiego sortu. Ten Lipsk, z jego enerdowską, czyli też biedną, ale jednak jakąś tam klasą, spłynął z niego kompletnie.

WJ: A petersburskiej klasy nie miał?

HG: Nie, bo on się nie wywodził z elity północnej stolicy, czy chociażby inteligencji. To był do szpiku kości sowiecki człowiek. Nie miał żadnej charyzmy. Był w pruski sposób zorganizowany, zasadniczy, mógł być nawet w czekistowski sposób dowcipny i cięty, ale nie był trybunem ludowym, nie był duszą towarzystwa, mówił językiem oszczędnym. I nie był pięknym mężczyzną. Później strasznie napinał te mięśnie, ta goła klata, to zdjęcie wierzchem na niedźwiedziu, ten żuraw przewodnik latający w kluczu, to wszystko było jakby funkcją jego kompleksów.

WJ: Czyli radziecka estetyka, radziecki styl i radziecki „mindset"?

HG: Dokładnie tak, przy czym ze strojem na początku były dosyć duże problemy, które nawet rodziły pewien rezonans międzynarodowy, jak to miało miejsce z jego słynnym zdjęciem z Blairem, na którym on ma bardzo dziwny garnitur na sobie. Nie dość, że marynarka na nim wisi, to jeszcze coś dziwnego się dzieje ze spodniami. Spodnie są workowe, krok, przepraszam, na kolanach, co przypomina mi złotą maksymę pewnego przedwojennego adwokata, który mówił, że podlaski chłop ma taki specjalny sposób noszenia spodni, że „jak nie czuje klamry od paska na jajach, to myśli, że mu portki spadły". To były jakieś takie dziwne workowate spodnie, składające się w harmonijkę na butach i na kolanach. I to wzbudziło wtedy takie zdumienie, że po powrocie od Blaira zadano pytanie na konferencji prasowej, co to się stało i czemu prezydent tak wyglądał. Rzecznik Kremla udzielił wówczas zupełnie bezprecedensowej i po prostu niemądrej odpowiedzi, mówiąc, że Putin nosi tego typu spodnie, ponieważ ma egzemę na nogach.

Ale od pewnego momentu on się coraz więcej uczył, coraz lepiej go ubierano. Bardzo dobrze zrobiła mu też w pewnym momencie separacja z żoną Ludmiłą, bo ona z dobrego gustu też nie słynęła. Słowem – Putin długo miał problemy z garderobą, zwłaszcza oficjalną: a to zsuwał mu się atłasowy pas do smokingu, a to we fraku wyglądał jak okulbaczony... Z jaskółkami, smokingami były takie problemy, że teraz już występuje wyłącznie w garniturach. No nie da się inaczej! Jeden z jego kolegów z KGB mówił mi: „Panie, gdyby pan go jeszcze zobaczył w mundurze galowym!". I to nie był komplement.

WJ: Teraz się ubiera bardzo oszczędnie, ale też gustownie, w takim biznesowym stylu. Mnie uderza w jego stroju tylko to, że on ma zawsze idealnie wyprasowaną koszulę i idealnie zawiązany krawat, który po prostu nigdy nawet na milimetr nie odstaje w którąś stronę. Tak jakby strój jak w zwierciadle odbijał tego pułkownika KGB.

HG: Zaczęliśmy od stroju, bo w nim, jak w soczewce, widać ewolucję Władimira Władimirowicza. W polityce było podobnie, początki miał bardzo skromne. Żadnej wielkości. Trafił do Petersburga, bo nie miał dokąd pójść. Był sierotą po zbankrutowanej służbie. Duża część ludzi zdymisjonowanych, bez pracy – nie z powodu lustracji, po prostu nie było dla nich miejsc – poszła do instytucji państwowych. Administracja wtedy się rozwijała, bo następowała dekompozycja władzy, struktury partyjne trzeba było zamienić struktu-rami administracyjnymi. Kiedyś panowała logika, wedle której partia kierowała, a rząd rządził, a tu nagle teraz struktury KPZR przestały istnieć. Trze-ba było czymś tę lukę wypełnić. Rozbudowywa-no więc administrację, potrzeba było coraz więcej urzędników. No i tacy właśnie, z takim przetar-ciem, doświadczeniem, sprawnością, takie Puti-ny pasowały. Pasowali oczywiście do północnego zachodu Rosji, który przylegał do świata zachod-niego, bo tuż obok przebiega granica fińska i ta część kontynentalnej Rosji to było okno do kon-taktów z Europą.

WJ: Putin miał jakieś szczególne talenty?

HG: Miał przeszłość w KGB, czyli niejako z automatu zakładano, że będzie solidny, wierny i dobrze zorganizowany.

WJ: Ale nim to się stało, jest też czas, gdy Putin, po wycofaniu z Lipska, jest praktycznie bezrobotny.

HG: Tak. Zostaje wówczas pracownikiem wydziału zagranicznego Uniwersytetu Petersbur-skiego, czyli krótko mówiąc, jest od inwigilacji pracowników i studentów. I tam poznaje mera

Petersburga Anatolija Sobczaka – wówczas potęgi politycznej nie tylko zresztą w samej północnej stolicy, ale w ogóle w całym kraju. I Sobczak go ze sobą bierze do Smolnego, czyli wówczas siedziby merii. W Smolnym narodziło się wówczas sporo wielkich karier.

WJ: To niejako tradycja, bo w tymże Smolnym ginie w 1934 Siergiej Kirow, czyli lider bolszewików w Leningradzie, co oznacza usunięcie ostatniej przeszkody stojącej na drodze Stalina do pełni władzy.

HG: Pytałeś, czy Putin miał jakieś talenty. Nie sądzę, żeby ktoś ich w ogóle szukał. To w gruncie rzeczy jest bezpieczniak przeniesiony do merii. On wówczas jest graczem drugiej, jeśli wręcz nie trzeciej ligi w skali miejskiej. On nie został wyniesiony do góry, że tak to ujmę, windą KGB. On w KGB pełnił funkcje służebne i tam kariery wielkiej ani nie zrobił, ani też nic jej nie zapowiadało. Podpiął się do Sobczaka, Sobczak go za sobą pociągnął, wciągnął go do polityki. W momencie kiedy Sobczak traci wpływy, upada, przegrywa wybory, ale jest ciągle w łasce u Jelcyna, to doradza Jelcynowi. I wówczas bierze Putina ze sobą do Moskwy. Bo Putin w Petersburgu też jest człowiekiem przegranym.

WJ: Mamy jeszcze jeden dowód tego, że Putin został wywindowany nie windą KGB-owską. Otóż jest taka regularność, jeżeli obserwuje się kariery, również w naszym kraju. To jest charakterystyczny rys, po którym można poznać kogoś, kto ma związki z bezpieką. Mianowicie, ludzkie kariery to jest sinusoida. Raz do góry, raz do dołu. Niektóre są takie, że są zawsze na wznoszącej. Ale w ramach nich są tąpnięcia. Otóż jeżeli ktoś nie ma tąpnięć w karierze, tylko przez trzydzieści lat cały czas idzie do góry, to znaczy, że jest jakaś siła, jakaś tajemna organizacja, która go popycha. Że nawet jak przez moment coś się dzieje źle, to zawsze jest ktoś, kto pomoże. Putin ma moment, w którym, jak sam potem powiedział, jeździł wręcz jako taksówkarz, co dla oficera KGB jest upadkiem. I to oznacza w mojej ocenie dwie rzeczy. Po pierwsze, że struktura machnęła na niego ręką. I po drugie, że on będzie miał związaną z tym traumę i że będzie chciał się odegrać. Bo w takiej sytuacji można się albo załamać, albo zacisnąć zęby, ale to będzie zawsze takie mniej lub bardziej mściwe zaciśnięcie zębów.

HG: Potem mamy tego bardzo symboliczny dowód. Jak zostaje mianowany przez Jelcyna szefem Federalnej Służby Bezpieczeństwa, to jemu się należy z rozdzielnika stopień generalski. Teraz się mówi o jego skromności, że on odmówił przyjęcia tego stopnia. Tymczasem on się nie odważył, bo tam siedzieli naprawdę trzygwiazdkowi generałowie, którzy wtedy jeszcze mieli potężne wpływy, a on dopiero zaczynał pływać na szerokich wodach.

WJ: Zawsze było widać chyba jakiś taki resentyment u niego, nieprawdaż? Jak jeszcze był mały, to koledzy mu dokuczali, co świetnie opisuje w swojej książce Krystyna Kurczab-Redlich. Po to zaczyna ćwiczyć judo, żeby już go koledzy więcej nie bili. Idzie do służb, żeby się zemścić na swoim środowisku. Otóż jak się patrzy na niego i na to, jak on traktuje te służby, to ja widzę w tym dokładnie powtórkę. To jest znów resentyment.

HG: On nie budził w ludziach szacunku. Jest relacja Putina o tym, jak dzień po wygranych wyborach wchodzi do Smolnego Jakowlew, a Putin jako wierny sobczakowiec pisze zwolnienie z pracy i odchodzi, jak się wydawało wtedy, w niebyt, bo składa dymisję. Ale jest też druga wersja, którą opowiadał uczestnik tej sceny, jak Jakowlew wchodzi do Smolnego i przy wejściu czeka na niego jak petent wystraszony, zgarbiony Putin z jakimiś papierami. To była teczka, więc raczej nie był to wniosek o dymisję, wykonuje dwa kroki w kierunku Jakowlewa. Jakowlew był wysokim, potężnym mężczyzną, metr dziewięćdziesiąt wzrostu. Patrzy z góry na Putina i mówi do swojego współpracownika: „Uberi ot mienja etowo pederasta".

WJ: Czyli „weź stąd tego pedała".

HG: Tak. Przypominam wszakże, że w języku rosyjskim słowo „pederast" nie jest jednoznaczne. Nie oznacza wyłącznie mniejszości seksualnej.

WJ: Tylko jest pogardliwym określeniem.

HG: Jak uniwersalna semantyka słowa „faszysta". Faszystą jest chociażby ten, kto cię oszuka na rynku, sprzedając ci gruszki dwa razy drożej.

WJ: Pederastą może być dziwkarz, mający kolejne kochanki, który nigdy w życiu nawet się za rękę nie trzymał z innym mężczyzną, ale go nie lubisz, więc nazwiesz go pederastą.

HG: Kiedy Putin dochodzi do władzy, w zasadzie jest zależny od łaski Jelcyna i wsparcia jego klanu rodzinnego, poszerzonego, powiedzmy, o Czubajsów, o Wołoszynów i tak dalej. Natomiast ma przed sobą konkretną rzeczywistość. Ma elitę władzy, którą wtedy obliczano mniej więcej tak, że prawie osiemdziesiąt procent to są dawni, na ogół już powyżej średniego wieku, funkcjonariusze partii komunistycznej i dwadzieścia procent to są siłowiki. A on ma zająć stanowisko, ma się umocnić. Wiadomo, że nie był jedynym kandydatem. Wiadomo, że poważnych kontrkandydatów miał ze środowiska prawdziwych siłowików.

WJ: Oficerów wyższego szczebla niż on, bo on doszedł ledwie do podpułkownika, przy czym awans dostał za wysługę lat, czyli na tle tych prawdziwych pułkowników i generałów jest mało znaczący.

HG: Dokładnie tak i dlatego wie, że ci starzy i silni mogą jego awans na szefa FSB kwestionować, więc on musi stworzyć własny legion, swoją kohortę pretorianów, która będzie tylko jemu oddana. I tutaj następuje szybka kadrowa karuzela, wymiana na ludzi absolutnie lojalnych, sprawdzonych i takich, którym od lat dowierza, wśród których są, co jest dosyć ciekawe, również tacy, którzy byli niegdyś wyżej od niego. To potem się zmieni, bo tak naprawdę z tej pierwszej grupy osób, z którymi on od zawsze niejako współpracuje, zostały już nieliczne osoby. Bo jednak Patruszew i Naryszkin to było co innego. On miał z nimi robocze kontakty, ale to nie byli bliscy mu ludzie, z którymi on pracował w Petersburgu. Tam zostali Sieczin, Miedwiediew, który tak nawiasem mówiąc, był na początku takim najmimordą tylko, wynajmowanym do pisania ekspertyz prawnych, jak były zarzuty korupcyjne wobec Putina w Smolnym. Ale był też, o czym się zapomina, Siergiej Czemiezow (obecnie szef potężnego koncernu Rostech – potentata w zakresie uzbrojenia i wysokich technologii), który przecież był szefem Putina w Lipsku. Nad nimi był jeszcze Nikołaj Tokariew, generał FSB, który został prezydentem Transniefti.

WJ: Był w tym towarzystwie też Władimir Jakunin, czyli wieloletni szef kolei – ale on chyba wypadł z bliskiego kręgu.

HG: Jakunin był z lepszej kategorii, bo Jakunin to był jednak wywiad zagraniczny. To była inna kasta. Pułkownik wywiadu zagranicznego to był ktoś, bo jednak co innego śledzić, kto przemyca wódkę albo na murze coś bazgrze przeciw władzy radzieckiej, a coś zupełnie innego pracować jako oficer wywiadu. To była zawsze inna grupa i dlatego na przykład Siergiej Naryszkin, czyli szef Służby Wywiadu Zagranicznego, na tle tych zwykłych, jak to się w Rosji mawia, „kagiebesz-ników", to jednak imponował i poziomem, i też klasą.

WJ: I tutaj ważna uwaga. W służbach są dwa rodzaje ludzi. Są ludzie od prymitywnej roboty. No takie po prostu bezpieczniaki. I są ludzie, którzy są książętami służb. Obydwaj spotkaliśmy i jednych, i drugich. Problem polega na tym, że zawsze jest tak, że im większa jest rola służb w państwie, tym kmioty w służbach zaczynają wypierać tych naprawdę mądrych. Ten podział był chyba bardzo wyraźny w Rosji. Pytanie, z której grupy wywodzi się Putin.

HG: Z tej gorszej gildii.

WJ: Jemu domalowano, dorysowano, dodano obraz wywiadowcy. Tymczasem nigdy nie był żadnym wywiadowcą, bo przecież służąc w NRD, żadną realną szpiegowską pracą się nie zajmował.

HG: Został wybrany jako ten, którego słabość jest gwarancją przetrwania środowiska jelcynowskiego, oni w niego zainwestowali, przerzucili na niego swoje aktywa, by zagrodził drogę komunistom i wszelkim innym. I miał pozostać wdzięczny. Skądinąd trzeba przyznać, że on wobec klanu Jelcyna akurat zachował się lojalnie. Nie pozbawił ich majątku, żadnych rozliczeń nie było. Natomiast bardzo umiejętnie ograniczył wpływy ludzi z jelcynowskiego dworu, tak naprawdę, z tego środowiska w jego otoczeniu już praktycznie nikogo nie ma.

Putin u władzy

WJ: No i zostaje Putin prezydentem i praktycznie od razu zachwyca Rosjan. Co jest w nim takiego, że szybko zdobywa popularność?

HG: Prezydentem zostaje popularnym, bo jest teflonowy, ale ludzie tego teflonu nie zauważają. Wyróżnia go fizyczność, bo on jest realnie fizycznie sprawny. Po czterech pokoleniach władców Kremla, gerontokracji i po starzejącym się w ekspresowym tempie alkoholiku przychodzi facet, który zrobił ze swojej fizyczności wizytówkę. Mamy migawki z sal treningowych, ćwiczy, rzuca przeciwników na matę i tak dalej. To potem dojdzie do tego absurdalnego poziomu autokreacji: prezydent z gołym torsem wierzchem na niedźwiedziu.

WJ: Umysłowo też jest sprawny, bo inteligencji odmówić mu się nie da, choć nie jest to żaden intelektualista. Nie ma formatu męża stanu, ale może to wcale nie jest słabość w oczach elektoratu? Do tego dochodzi taki specyficzny kagiebowski styl, takie jakby cwaniactwo, ale chyba trzeba zarazem dodać, że wydawał się mieć nowoczesną wizję państwa. Głosił wolę reform, nie wiem, czy pamiętasz to jego słynne pierwsze przemówienie, w którym opowiadał o tym, jak bardzo Rosja odstaje od świata. Czy on naprawdę chciał coś zmienić na lepsze, czy tylko udawał technokratę? A może w którymś momencie zrozumiał, że i tak niczego nie zmieni, za to zachłysnął się pieniędzmi i władzą?

HG: Nieważne. Na tle jelcynowskiego burdelu to każdy sprawny oficer KGB jawił się technokratą.

WJ: I to jest w zasadzie istota rzeczy. Rzeczywiście, i być może to jest element, którego my na Zachodzie i my w Polsce nie zauważyliśmy, system jelcynowski to był niebywały bajzel. Są takie rosyjskie filmy *Brat*, *Brat 2* i *Żmurki*, czyli trupki. To są tarantinowskie w klimacie filmy. Rosja jelcynowska to jest rzeczywiście, szukam właściwego słowa, rozp... całkowity.

HG: Stąd wspomnienie, że on to uporządkował, bo w końcu zaczęto po półrocznej przerwie wypłacać emerytury. Nauczyciele dostali pensje po dwóch latach. Ludzie to pamiętają. Podobny mechanizm obserwujemy na sąsiedzkiej Białorusi, gdzie autorytet po wsiach ma Łukaszenka, bo uporządkował system świadczeń socjalnych i wzmocnił rolę państwa jako pracodawcy. Oczywiście, kto tego nie przeżył, kto nie widział z bliska Rosji schyłkowego okresu jelcynowskiego, ten nie jest sobie w stanie wyobrazić, jaką zmianą jakościową były rządy pierwszej ekipy putinowskiej, gdzie nagle się okazało, że można wygenerować środki na opędzenie pierwszych potrzeb. On skądinąd ma świadomość, że na tym zasadza się część jego legendy. Dlatego tak mocno inwestował w to, żeby na przykład nie było inflacji, respektował to, co my traktujemy jak umowę społeczną. Dla niego to nie jest umowa społeczna, dla niego to po prostu jest pewna część propagandy władzy. Tak naprawdę na tle różnych wydatków państwowych koszty te są znikome, ale za Jelcyna to wszystko, pamiętajmy, przestało działać. Rosyjskie społeczeństwo to są nadal sieroty po Związku Sowieckim. I dzięki temu Putinowi się udało. I to się udaje do dzisiaj.

WJ: Markiz de Custine przytacza w swoich *Listach z Rosji* słynny dialog, gdy car pyta: „Co się dzieje w moim państwie?" i w odpowiedzi słyszy: „Kradną". Poziom zdemoralizowania ludzi, traktowania państwa jako łupu, pieniędzy jako czegoś, co należy ukraść, jest tak niebywały, że bez dozy odgórnego zamordyzmu to państwo się zawsze będzie rozlatywać. Czy ten putinowski sukces nie jest pochodną tego, że Putin rozumiejąc to, ściągnął lejce?

HG: Owszem. Ale kraść nie przestali, tylko teraz trzeba było mieć zgodę na kradzież.

WJ: Przejdźmy do współczesności. Powiedziałeś kiedyś w odpowiedzi na moje pytanie, czy Putin to współczesny Stalin, że tak, ale on jest Stalinem z roku 1952, a nie 1937. Stalin z roku 1937 jest w stanie zabić każdego, Stalin z roku 1952 nie może zabić Żukowa, bo przychodzi Koniew i mówi mu, że marszałkowie zwycięstwa tego nie zaakceptują. Dziś marszałkami zwycięstwa są ci, którzy doszli do władzy albo się wzbogacili po 1989 roku, ergo Putin może niby wszystko, ale nie do końca, bo nadal ma wokół siebie te wszystkie klany, które są ze sobą powiązane rodzinnie, towarzysko, majątkowo, więzami przyjaźni, przeszłością uniwersytecką, KGB-owską, wszelaką inną. To jest tak gęsta, niezatomizowana sieć, że Putin nie jest w stanie na przykład zamordować kogoś rzeczywiście ważnego w tym systemie. Dlatego że ten ktoś jest rodzinnie powiązany z kimś innym i nie wiadomo, jakie to spowoduje zmiany. Gdy słyszymy, że zginął kolejny ważny menedżer Gazpromu, albo – czytałem takie tytuły – oligarcha, to jest to w istocie nieprawda, bo w ostatnim czasie nie zginął żaden, nie został zamordowany żaden prawdziwie ważny oligarcha. Owszem, framugi okien okazują się wyjątkowo nietrwałe i ludzie są w stanie z okna wypaść, jak są średniego albo nawet wyższego rzędu menedżerami, ale nie właścicielami Rosji.

HG: Jakkolwiek strasznie to brzmi, gdy pomyślimy o Buczy, ale znacznie przesadzamy z opisem rosyjskiej despotii. Nie jest zasadne mówienie o rosyjskim totalitaryzmie, Rosja jest totalitarna punktowo.

WJ: Z jednej strony mówimy, że panuje tam absolutna cenzura, ale YouTube nadal działa, każdy może na YouTubie oglądać sobie opozycyjne kanały internetowe. Facebook niby nie działa, tyle że to też nieprawda, bo przez VPN działa. Natomiast YouTube działa zupełnie swobodnie, hula. Czy Rosja nie jest aby patchworkową dyktaturą? To znaczy ona zawsze była taka, zawsze było inaczej w Czeczenii, a inaczej w Moskwie, a jeszcze inaczej w Saratowie. W Saratowie będzie źle, w Czeczenii będzie bardzo źle, a w Moskwie będzie umiarkowanie źle. Bo do 1937 roku nadal jest daleko.

HG: I to jest istota sprawy, bo dla Rosjan punktem odniesienia nie jest umiarkowana dyktatura, ale właśnie ta stalinowska.

WJ: Oni tego, jak by to powiedział jakiś psycholog, nie przepracowali?

HG: Nijak nie.

WJ: Wróćmy do Putina. Jeżeli spojrzeć na Rosję dzisiaj i przypomnieć sobie rok 2000, czyli dwadzieścia trzy lata temu, to w 2000 roku Chiny były już na wzroście, ale jeszcze nie mówiło się, że są, tylko że dopiero staną się drugim mocarstwem świata. One w istocie taką pozycję miały, ale jednak to nie było tak oczywiste. I oto mijają dwadzieścia trzy lata rządów człowieka, który, jak już wspominałem, podczas inauguracji mówi o tym, że Rosja odstaje, ale dzisiaj ta sama Rosja, jak widzimy, stacza się. My, myśląc o Rosji, widzimy straszliwe zagrożenie. Amerykanie określają Rosję – usłyszałem kiedyś takie wyrażenie od attaché obrony USA – jako „fading power". I w mojej opinii to jest absolutnie świetne, niestety nieprze-tłumaczalne na polski wyrażenie. Fading, czyli zachodzące, schodzące, blaknące. Zanikające mocarstwo. I w gruncie rzeczy ta diagnoza jest absolutnie prawdziwa. Bo Rosja w każdym wymiarze, w każdej statystyce schodzi i blaknie. W perspektywie dwudziestu lat ona się jedynie lewarowała, myśmy ją przez działania służb widzieli jako znacznie potężniejszą, niż ona była. Jak to się stało, że Putin tej Rosji nie zreformował?

HG: Myślę, że składa się na to kilka elementów. Po pierwsze, zachłyśnięcie się władzą. Po drugie, pieniędzmi. Po trzecie, w którymś momencie chyba również jakaś taka rezygnacja z prób reform. Nie wiem, czy to nie jest też tak, że ich się z tą elitą i tym społeczeństwem nie dało przeprowadzić?

WJ: No ale ustalmy jedno. Czy na początku choć przez chwilę on chciał być takim współczesnym Stołypinem (jeden z ostatnich premierów carskiej Rosji)?

HG: Jeśli tak, to przez bardzo krótko. Porównanie ze Stołypinem jest o tyle swoją drogą celne, że Stołypin zginął w zamachu w 1911 w Kijowie. I po tym zabójstwie w Kijowie system był już skazany na klęskę. Mija sto lat i system znów zaczyna umierać właśnie w Kijowie, czy też pod Kijowem w tym przypadku, bo jak wiemy, Rosjanie do Kijowa nie weszli.

Majestat władzy

WJ: Jak zmieniał się Putin u władzy?

HG: Kiedyś to był primus inter pares, potem rozjemca, następnie car. Nie mniej ważne jednak było i to, że po kadencji Miedwiediewa on chyba zaczął naruszać ten wcześniejszy model, gdzie wielu polityków miało do niego bezpośredni dostęp. Ludzi, którzy nawet nie zawsze piastowali pierwszoplanowe funkcje państwowe, ale mieli zawsze możliwość wejścia do niego i powiedzenia prawdy w oczy. On po kolei ich się pozbył. Z tego środowiska, z tych ludzi mu najbliższych już mało kto został. Został chyba Bastrykin, czyli szef komitetu śledczego, który jest jego kolegą ze studiów, ze szkolnej ławy. Takim człowiekiem był mający do niego przez długie lata zawsze dostęp, kiedyś wyżej od niego usytuowany w strukturze wywiadowczej, par excellence prawdziwy, porządny szpieg, czyli późniejszy szef kolei żelaznych, Jakunin. Jakunin nagle mniej więcej w 2015 roku zaczyna wyparowywać z politycznej rzeczywistości i w zasadzie nie do końca wiadomo, co się stało. Przypuszczalnie za często mówił prawdę. Wcześniej wyleciał po różnych bojach o wyrwanie dla siebie jak największych uprawnień w służbach leningradzki przełożony i przyjaciel Putina, czyli szef służby antynarkotykowej, Wiktor Czerkiesow. A jednocześnie było parę osób, które powinny były wylecieć na pysk, a cały czas zachowywały wpływ i dostęp, i zachowują je do dzisiaj.

WJ: Charakterystyczne, jak Putin dobiera sobie ludzi. Pierwszą zasadą była lojalność, drugą umiejętności, w tej właśnie kolejności. Problem polega na tym, że do któregoś momentu przepustką do tego zasobu kadrowego była lojalność, ale też wiedza. I to był ten moment szczytowego putinizmu, który opisałem w *Demonach Rosji*. To był putinizm w jakiś sposób imponujący w sensie technokratycznym. Oni rzeczywiście byli fachowcami.

HG: Pierwsze dwie kadencje.

WJ: Pierwsze dwie kadencje to naprawdę są technokraci. A potem coś się takiego stało, że zaczęła się liczyć już tylko lojalność. I nic już więcej, i zaczynają się coraz większe błędy. Nie masz wrażenia, że to się i tak stosunkowo późno stało?

Chodzi mi o to, że prezydent Rosji ma tak niebywałą władzę, że w zasadzie jeśli Putinowi nie odbiło od razu, to i tak dobrze o nim świadczy. I nie chodzi mi nawet o władzę wynikającą z konstytucji, która jest taka, że choćby ultrapacynkę obsadzić na stanowisku prezydenta, to i ultrapacynka będzie mieć realną władzę. Bardziej chodzi mi, to, że – tu w zasadzie powinien być dodatek audio do tej książki, że jak Putin wchodzi do tej głównej sali na Kremlu, to nagle słychać taki dostojny...

HG: ...majestatyczny...

WJ: ...dokładnie, taki zupełnie nieznany nigdzie indziej na świecie głos, który ogłasza „PREZIDIENT ROSSIJSKOJ FIEDERACII WŁADIMIR WŁADIMIROWICZ – tu pauza – PUTIN". To jest wypowiadane tym samym głosem jak wówczas, gdy na plac Czerwony wjeżdżają czołgi, gdy się zaczyna parada zwycięstwa. To jest mówione tak, że ciarki przechodzą. Czy to nie jest tak, że władza tam jest, może nie boska, ale sakralna w swym charakterze, że jakby konia zrobili, nie senatorem jak w Rzymie, ale prezydentem, to i ten koń mógłby rządzić?

HG: W zasadzie, odwracając to rozumowanie, coś podobnego zaprezentował w sporze z Nadieżdą Krupską po śmierci Lenina Józef Wissarionowicz Stalin. Powiedział: „Zamknij się, głupia, bo w przeciwnym razie przegłosujemy tutaj, w kierownictwie, że Włodzimierz Iljicz nigdy nie miał żony". Po prostu, koniec kropka. Władza ma moc stanowienia rzeczywistości, czy jak się obecnie mówi realu. Poza tym ten majestat, o którym mówisz – niesłychanie interesującą lekcją byłoby porównanie XIX-wiecznych marszów wojskowych i hymnów wojskowych różnych kultur europejskich. Rosyjskie mają niewiarygodny zawsze patos. Wystarczy dzisiejsze hymny porównać. Dwa najważniejsze utwory patriotyczne rosyjskie, czyli hymn Związku Radzieckiego i dzisiejszej Rosyjskiej Federacji, oraz *Święta wojna* (*Swiaszczennaja wojna*) są takie, że po prostu przechodzą przez człowieka ciarki.

WJ: Co do hymnu – obydwie, a w zasadzie nawet wszystkie trzy jego wersje – stworzone są przez ojca słynnego reżysera Nikity Michałkowa.

HG: A wiesz, że Nikita Michałkow poważnie rozważał zaproponowanie Jelcynowi swojej kandydatury na następnego prezydenta Federacji Rosyjskiej? Wiesz, co miało spełnić przedwyborczą funkcję propagandową? Film *Cyrulik syberyjski*. Michałkow najpierw wmawiał wszystkim, że wzorcem dla modernizującej się Rosji ma być Aleksander III, a potem sam się sportretował w jego roli, dostojnie, na mocarnej kobyle i w bogatym uniformie. I ponoć on naprawdę wierzył, że ma szanse, a tu nici z tego wyszły. Jeszcze na dokładkę Borys się zdenerwował.

WJ: Wróćmy do Putina i jego ekipy. Mówiliśmy już, że oni też kradli. To jakim cudem udało im się zbudować legendę ludzi uczciwych, którą w zasadzie dopiero Nawalny podważył?

HG: Jedno trzeba przyznać ekipie putinowskiej, zwłaszcza tego wczesnego i środkowego okresu, że w tym uwłaszczaniu się, w tej grabieży, nie było takiej bezczelnej ostentacji, która to bezczelna ostentacja w późnym okresie jelcynowskim była widoczna. Tylko jakie tego efekty? Putin zgromadził nieporównanie większą fortunę niż cała elita jelcynowska razem wzięta. Ale społeczeństwo dzięki temu, że nie było w tym ostentacji, w zasadzie tego nie widziało. To jest ta różnica. To, że kradną, to rzecz zupełnie naturalna. Korupcja jest wpisana w istotę funkcjonowania struktur państwowych. Jest takie rosyjskie powiedzenie – jeżeli bierzesz za dużo, niż ci wypada z twojego statusu społecznego, „nie po rangu bieriosz". Putin i jego otoczenie biorą „po rangu", ale też nie dopuszczają, żeby z zakłóceniem rangi brali inni.

WJ: Czy Putin ma charyzmę?

HG: Jako mówca długo był sprawny, potrafił dobrze użyć tego, co mu przygotowywano, ale potrafił również wrzucić jakiś dowcip, potrafił coś dopowiedzieć, miał specyficzną mimikę, ponieważ demonstrował takie powściągliwe, ironiczne poczucie humoru, taki specyficzny typ uśmiechu, z lekkim poczuciem wyższości, takie właśnie dyskretne poczucie humoru. Jak powiedział coś dowcipnego, sam się nie śmiał, bo nie wypada. To na ogół było przygotowane, ale nie można mu odmówić pewnego, powiedziałbym scenicznego, talentu. Bo jednak różne zdarzały mu się dyskusje z salą, dużym audytorium i on sobie naprawdę dobrze radził. Najlepiej jednak jako mówca czuł się w takich momentach, kiedy mógł zademonstrować twardość i taką, powiedziałbym, brutalność narracji. Ale to było kiedyś. Od kilku lat widać wyraźny fizjologiczny i intelektualny zjazd. Jego spotkania z młodzieżą szkolną, spotkania ze studentami, spotkania z forum młodych historyków w większości dowodzą, że jednak ten umysł ulega degradacji.

WJ: Wspomniałeś, że dobrze się czuł, mogąc pokazać siłę, ale tu trzeba zaznaczyć, że Putin raczej nie klnie. Jest brutalny, ale nie klnie. Podobno, gdy jest wściekły, ma zwyczaj ściszania głosu, mówi wówczas przyciszonym głosem, przeciągając głoski. A że ten jego legendarny stół, za którym siedzi, ma bodaj piętnaście metrów długości, to ledwie go słychać.

HG: Jest jeszcze jeden trik, który Putin stosuje. Istnieje otóż gradacja form towarzyskich, bardziej i mniej demokratycznych. W wąskim kręgu on prawie ze wszystkimi był na ty. Przez pierwsze dwie kadencje, jeżeli się spotykało sześciu czy ośmiu współpracowników na naradach, on był z nimi na ty. Tych, z którymi był na ty, w jego otoczeniu praktycznie już nie ma.

WJ: Patrząc na kody kulturowo-polityczne znane na Zachodzie, gdyby szukać kogoś z Zachodu podobnego do Putina, to chyba najbliżej mu było do Gerharda Schrödera i Silvia Berlusconiego. To są dwaj politycy zachodni, którzy się z nim najbardziej zbliżyli. Obydwaj skądinąd w moich oczach symbolizują, chwilowy na szczęście, upadek demokracji zachodniej. Zwróć uwagę, że ich łączy jedno. Wszyscy – i Putin, i Schröder, i Berlusconi to typowi arywiści. Czy to nie jest nieprzypadkowe, że najlepiej się dogadywał z tymi właśnie facetami?

HG: Oczywiście, że nieprzypadkowe. Chirac czy chociażby Blair byli dla niego zbyt sztywni...

WJ: Jest jeszcze jedna rzecz, którą warto opowiedzieć, a która doskonale charakteryzuje Putina. Otóż, jest taka piękna historia, jak przyjeżdża Sarkozy, zresztą ten sam numer Rosjanie zrobili wcześniej Javierowi Solanie, a była to skądinąd też metoda przedwojennych prostytutek warszawskich, to znaczy, jeżeli do wódki doda się wody utlenionej – teraz są środki chemiczne, które jeszcze lepiej działają – to po dwóch kieliszkach jest się wstawionym. I jest taka słynna konferencja prasowa Sarkozy'ego, na której to Sarkozy sprawia wrażenie człowieka praktycznie pijanego. No i wszyscy to interpretowali jako wielki triumf Rosjan. Nie wiem, jak to zmieniło stosunek Sarkozy'ego do Putina, ale wiem, jak to zmieniło stosunek Javiera Solany do Putina. Javier Solana, któremu to samo zrobili Rosjanie, uznał Putina po prostu za prostaka. Problem polega na tym, że Javier Solana wówczas się wyróżniał na tle tej europejskiej elity. I to jest może istota problemu...

HG: Dokładnie. Nie był wcale Władimir taki znów genialny, tylko trafił na wyjątkowo słabych przeciwników.

WJ: No i jeszcze jeden element. Putin, możemy chyba spokojnie założyć, pięćdziesiąt procent czasu poświęcał na politykę zagraniczną.

HG: Jak nie więcej. Jego siłą było to, że nie bał się wybitnych indywidualności wokół siebie i w pewnych dziedzinach, w których się gorzej orientował, potrafił delegować władzę. Również dlatego oczywiście, że on jest w gruncie rzeczy dosyć leniwy, więc były segmenty władzy, które go mało interesowały. W pewnym momencie całą gospodarkę delegował na Aleksieja Kudrina, który jako wicepremier odpowiadał za sprawy ekonomiczne. Stąd też wybitna obecnie pozycja szefowej banku centralnego Elwiry Nabiullinej.

Putin prywatnie

WJ: Nawet w tym czasie, kiedy jeszcze zakres wolności w Rosji był stosunkowo duży, nigdy nie dotyczył opisywania skandali wokół samego Władimira Władimirowicza. Ale wiemy o tym, że jego relacje z żoną, przynajmniej z tych plotek, które do nas dochodziły, że był, jeśli nie przemocowcem, to w każdym razie człowiekiem, który żonę traktował...

HG: ...bił ją, bił, to wiadomo jeszcze z czasów lipskich. Z jej różnych wypowiedzi o nim powstawało wrażenie człowieka co najmniej szorstkiego. W Lipsku interweniowali przełożeni. W istocie bywał agresywny, tyle że ona całkowicie mu się podporządkowała. Była taka pyszna scena z wyborem imienia dziecka, kiedy ona ma inną wizję, on ma inną wizję. Ludmiła powiedziała kiedyś, że gdy on wybrał w końcu imię, to ona po prostu wiedziała, że nie ma już na to wpływu, i popłakała się.

WJ: Z Ludmiłą się rozwiódł. Potem przypisywano mu związek z urodziwą i utytułowaną gimnastyczką Aliną Kabajewą. Mówiono, że Putin jest ojcem jej dziecka.

HG: Jak jest naprawdę, tego nikt nie wie, a tych dzieci też swoją drogą nie widujemy. Wątek Kabajewej jest o tyle zabawny, że pojawił się ostatnio termin na określenie Putina, który – odnosząc się do pokaźnej różnicy wieku między domniemanymi kochankami – jest cudny w swej urodzie. Nie Wowa, nie Władimir Władimirowicz, ale „staruszek Kabajew" (*starik Kabajew*). Jak to pierwszy raz usłyszałem, to zawyłem z zachwytu. To jest tak rosyjskie. To jest bardziej morderczy cios, niż gdyby w tym momencie rakieta ukraińska spadła na „pierwszego" w środku Moskwy. Bo to go ośmiesza.

WJ: Kabajewa nie była jedyną, z którą wiązano Putina. Była jeszcze kickbokserka, jak dobrze pamiętam.

HG: No tak, mistrzyni świata w boksie i kick-boxingu – Natalia Ragozina. Putinowi przypisuje się też dziecko ze związku z niejaką Swietłaną Kriwonogich. To jest taka pani, która dość niezauważalnie przeszła drogę od studentki i urzędniczki banku Rossija do jego poważnej akcjonariuszki, posiadaczki solidnych nieruchomości, jachtu i córki, ponoć niezwykle podobnej do Putina. Ale jej też jakby nie widać. W ogólności na tle poprzedników Putin wygląda jak asceta. Strasznym babiarzem, i to od zawsze, był Breżniew. Breżniew, jak już niby nic nie mógł, to jeszcze mógł. Na przykład poderwał jakąś stewardesę na pokładzie samolotu, gdy leciał do Paryża. Stewardesa była, dodajmy, takich solidnych kształtów. Włosi pierwsi opublikowali tę historię, bo się bardzo Włochom podobała. Taka „bella bionda". Tutaj Francuzi robią analizy w Pałacu Elizejskim, podłączywszy się pod rurę kanalizacyjną do apartamentu genseka, dowodząc na podstawie uzyskanych odchodów, iż Leonid Iljicz od lat jest już „żywym trupem", a tu się nagle okazuje, że nie tylko żyje, ale jeszcze z uroków życia korzysta. Sekretarki, tłumaczki, tam było tego dużo, ale i w czasach wojennych też się o nim opowiadało, że on na linii frontu miewał polowe żony. Zresztą był wówczas bardzo przystojnym mężczyzną.

W czasach popierestrojkowych z kolei legendarny był wieloletni romans premiera i legendy rosyjskich służb Jewgienija Primakowa z szefową komisji badającej katastrofę smoleńską, czyli Tatianą Anodiną. Nawiasem mówiąc, Anodina nie była żadną osobą przypadkową, bo była wdową po ministrze, czyli wszystko zostawało w swoim doborowym kręgu. Ale dzięki temu potem, już nawet po ich rozstaniu i po śmierci Primakowa, parasol tak szczelnie był nad nią i jej dziećmi rozpięty, że kiedy parę lat temu nastąpiły jakieś historie z bankructwem linii lotniczych Transaero, które prowadzili jej syn i synowa, to można było wytransferować pieniądze na Zachód i prysnąć do Paryża. I władza nie ścigała.

WJ: Putin to w pewnym momencie wręcz symbol seksu.

HG: Och, jak najbardziej. Była nawet cała akcja propagandowa i plakaty z wyznaniami młodych kobiet: „Chcę takiego jak Putin". Nawiedzona deputowana Mizulina proponowała nawet rozdawnictwo jego nasienia. Ale to było robione też dlatego, że kobiet dookoła niego było tak mało, że aż chodziły plotki, że może on kobiet nie lubi. My nie wiemy, ile tych legend o kochankach, dzieciach jest napędzanych właśnie chęcią wyrównania balansu w propagandzie, że jednak to jest „prawilnyj" facet, co to i poklepać, i uszczypnąć umie. No więc też pewnie dlatego mamy Kabajewą, mamy Kriwonogich z tym nieślubnym dzieckiem, przypisywanym Putinowi, mamy eksploatowany w zachodniej prasie wątek domniemanego romansu z agentką wywiadu Anną Chapman, mamy przypadek studentki wydziału dziennikarstwa, co to sobie nawet takie wydekoltowane zdjęcia zrobiła w otoczeniu Putina. Skądś się biorą, niezależnie od tego, czy to jest prawda, czy nie, przesłanki do plotkowania. Jakby chciano, żeby na ten temat była cisza, toby była cisza.

W przypadku Kabajewej i Kriwonogich zrekonstruowano cały schemat przepływu środków na budowanie przez obie panie solidnego majątku. I w obu przypadkach zakupy nieruchomości, a nawet przeloty prywatnymi samolotami szły przez ten sam krąg osób blisko związanych finansowo z Putinem, przede wszystkim przez Jurija Kowalczuka – jednego z najbardziej wpływowych oligarchów.

WJ: Ale charakterystyczny jest jeden element. Z jakiegoś powodu pośród wszystkich kobiet, które były mu przypisywane, nie ma żadnej, której moglibyśmy przypisać jakieś szczególnie ambitne, intelektualne capabilities.

HG: To prawda. Był chyba taki moment, kiedy puszczano, ale to na pewno był propagandowy zabieg, kiedy puszczano oko w przypadku Anny Nietriebko, czyli śpiewaczki operowej. Ale w istocie rzeczy Nietriebko się z Putinem przez dwadzieścia lat ze cztery razy widziała, więc chyba jednak mało to pasuje. To wszystko jest przy tym o tyle zabawne, że wiadomo, że Putin jest mizoginem. Koniec końców dlaczego jest tak mało kobiet w otoczeniu Putina? On nie tylko nimi pogardza, ale on po prostu im nie ufa. W bezpośredniej obsłudze Putina nie ma ani jednej kobiety. Kobieta w świecie KGB jest ułomna, łatwiejsza do przewerbowania, wykorzystania przez wroga. Kobietom się nie ufa. Koniec kropka.

WJ: Jest takie słynne nagranie, na którym on wita się z dziećmi i tam jest taki mały chłopiec, któremu Putin podnosi koszulkę i go całuje w brzuszek.

HG: To tłumaczono tak, że prezydent przeprowadził nad sobą wielką pracę, bo przez wiele lat nie wychodziły mu spotkania z dziećmi, dzieci się go bały. Że chciał ocieplić wizerunek i bardzo nad sobą pracował. Dzieci przestały się go bać właśnie między innymi dzięki temu, że takie ciepłe, niestandardowe, nieortodoksyjne gesty wykonywał.

WJ: Przy całej okropności tego, co on dziś robi, zaznaczmy, że z pedofilskimi tendencjami – a o tym wówczas mówili jego wrogowie – do KGB by się nie dostał.

HG: To prawda, bo to jest podstawa do werbunku. Warto też pamiętać, że tak samo w KGB traktowano homoseksualizm.

WJ: Kiedyś często widywaliśmy Putina w stroju judoki.

HG: On ćwiczył judo i sambo. Potem przestał i tutaj są dwie interpretacje czemu. Pierwsza jest taka, że prezydent nie może być boso; inaczej – prezydent mógł, car już nie. Ale jest też druga interpretacja, że on już nie ma tej kondycji, że on się już po prostu realnie zestarzał. Miał dwa poważne wypadki właśnie przy zajęciach fizycznych. Bo niezależnie od tego wyśmiewanego, skądinąd słusznie, upadku pierwszego żurawia Federacji Rosyjskiej...

WJ: Może wyjaśnijmy, bo to słynna historia, ale niekoniecznie w Polsce.

HG: Putin leciał otóż na motolotni i prowadził klucz żurawi przed sobą, ponoć uczył latać ptasią młodzież jako przewodnik klucza... To, nawiasem mówiąc, jest odlot kompletny. Słowo odlot tu podwójnie dobrze pasuje. Problem polega na tym, że zdarzyło mu się wówczas twarde lądowanie. To jeden wypadek. Drugi natomiast on sam potwierdził, mówiąc, że koń go zrzucił, wierzchowiec stanął dęba i go zrzucił. Putin twierdził, że upadł na trociny i nic mu się nie stało. Z Kremla dochodziła zupełnie inna wersja, był przeciek, że on przez parę tygodni praktycznie nie mógł chodzić, że się ledwie ruszał. I że właśnie stąd ma uszkodzony nerw nogi, stąd ma problemy z nogą. Tu ma uszkodzony obojczyk od żurawia, a od konia uszkodzoną nogę.

Nawiasem mówiąc, z tym rzuceniem przez konia i zaniechaniem konnej jazdy to jest piękna analogia ze Stalinem. Stalin, jako Gruzin, musiał umieć jeździć konno. Tymczasem Stalin bał się koni. Ale raz w życiu postanowił, że pokaże, że on jest dżygit i że pojedzie. Miał konno przyjmować słynną paradę zwycięstwa. Jak wiesz, musi być dwóch jeźdźców, ponieważ jeden przyjmuje paradę, a drugi prowadzi. Ostatecznie przyjmował Żukow, a prowadził Rokossowski. Żukow na białym koniu, stary kawalerzysta z pierwszej konnej armii, a Rokossowski na ciemnym. Miało być inaczej, Żukow miał prowadzić na ciemnym, a przyjmować na białym paradę miał Józef Wissarionowicz. Jego syn opowiadał później, że Stalina koń nie tylko zrzucił, ale jeszcze strasznie go poturbował. I nastąpiła kompletna zmiana scenariusza. To, co miało pokazać, że to jednak prawdziwy, mimo swoich lat, wódz narodu, prawdziwy dżygit, nie wyszło, musieli go jeszcze podpierać na trybunie, bo był potłuczony i obolały.

WJ: Putin lubi operacje plastyczne.

HG: To wiemy jednoznacznie. To widać po zdjęciach. On jest pod tym względem nałogowcem.

WJ: Widać, że jest coraz bardziej ponaciągany.

HG: Zmienił mu się rysunek ust, chyba mu trochę nos skorygowali, bo na początku ten nosek był taki strasznie..., jak u liska chytruska. Natomiast botoks jest widoczny po prostu, niedługo będzie wyglądał jak mumia.

Majątek Putina

WJ: Jest taka słynna sesja zdjęciowa Donalda Trumpa, jeszcze zanim został prezydentem, z Melanią Trump. W ramach tej sesji ona w którymś momencie leży na fortepianie i wygląda tyleż ponętnie, co i ponętnie dla specyficznego rodzaju mężczyzn. Przede wszystkim jednak ich mieszkanie wygląda tak, że... No, powiedzmy, że szejkowie w Dubaju mniej więcej czterdzieści lat temu porzucili ten styl jako niezbyt wyszukany. Wszystko jest w złocie i wszystko się świeci. Dlaczego o tym opowiadam? Otóż kiedyś do mediów przedostały się zdjęcia samolotu Putina. I on wygląda wewnątrz dokładnie tak jak te apartamenty Donalda Trumpa, czyli po prostu jak jedno totalne, wielkie, gigantyczne bezguście. No, ale można było mieć nadzieję, że to się zmieniło, że to było odziedziczone po Jelcynie. Ale potem wyciekły zdjęcia pałacu Putina w Gelendżyku, to, co Nawalny wypuścił. I dokładnie jest to samo. Tu trzeba powiedzieć jedną rzecz, że jednak rosyjska elita się wyrobiła. Wbrew temu, co się u nas sądzi, oni mają dziś dobry gust. Rosyjska elita wynajmowała najlepszych architektów, budowała przepiękne pałace – w sensie wielkości ich domy tak trzeba nazywać – ale one były gustowne, czasem w bardzo minimalistycznym, takim japońskim stylu. Jak wypada na tym tle Putin?

HG: Przed ludem udaje ascetę. Ta ekipa, która przyszła w latach dziewięćdziesiątych, to jednak była ekipa wychowana jeszcze w szkole radzieckiej, gdzie był wręcz strach przed pokazywaniem, że się coś ma. Był strach przed ostentacją. Warto tu przypomnieć Stalina, przecież Stalin nie miał majątku. Po co był mu majątek, jak miał cały Związek Sowiecki, prawda? Jego majątek to było ponoć dwieście ulubionych białych kurtek mundurowych (kitli) w garderobie i drogocennych fajek, no i cenne książki. On lubił książki, grafiki jakieś. Żadnej galerii, żadnego skarbca. Po Breżniewie, który gromadził wszelkie prezenty, czasem bardzo cenne, to wszystko zostało w skarbcu kremlowskim, bo on tego do domu nie zabierał.

WJ: No, akurat Breżniew luksus lubił. Miał m.in. rolls-royce'a, którego skądinąd sam prowadził i nawet osobiście rozbił. Jego słabość do luksusowych samochodów była tak legendarna, że zaczął je dostawać w prezencie. Od Japończyków dostał nissana presidenta. Prezydent Richard Nixon osobiście wręczył mu w czasie spotkania w Camp David kluczyki do lincolna.

HG: To prawda, ale myślę, że on nie traktował tego do końca jak swojej własności. To było tak, że wszystko było ich i nic nie było ich. Niżej oczywiście kradziono i powstawały fortuny, ale na szczycie to się zlewało w jedną całość. Putin demonstruje taki oficjalny ascetyzm w stylu, który równie dobrze mógł demonstrować Andropow, Breżniew czy Czernienko. Składa zeznanie podatkowe i co on tam w zeznaniu podaje? Że zarobił w skali rocznej czterysta sześćdziesiąt sześć tysięcy złotych w przeliczeniu z rubli. Ma jeden domek, dwa samochody, starą ładę niwę, bo lubi jazdę terenową.

WJ: A w rzeczywistości...

HG: Nawalny, a wcześniej Anders Åslund, podliczają go na sto pięćdziesiąt miliardów dolarów. Ja w te liczby nie bardzo wierzę, ale na kilkadziesiąt miliardów to byłbym gotów go ocenić. To jest bardzo skomplikowanie, co naprawdę jest jego, a co nie jest jego, jak to liczyć itd. Faktem jest, że liczba osób z jego otoczenia, które posłużyły mu do relokacji kapitału, jest zdumiewająca. Kiedyś uśmiałem się serdecznie, gdy w jakimś polskim materiale prasowym znalazłem taką złośliwą uwagę, iż oto pojawia się nikomu nieznany jakiś tam muzyk, Siergiej Rołdugin, ma nie swoich dziewiętnaście milionów dolarów na koncie w Panamie itd. Komu nieznany, temu nieznany. Bo to jest po prostu ojciec chrzestny córek Putina, zresztą muzyk wybitny (był rektorem konserwatorium w Petersburgu). To jest rodzina, w tym najlepszym tego słowa znaczeniu. I takich domowników jest mnóstwo. No i jeżeli jeden taki domownik łącznie jest obliczany na ponad dwieście milionów, to razem nazbiera się dużo. Ile przez nich wytransferowano? Ile w ich majątku jest majątku Putina? My tego też nie wiemy. Ile miliardów u Deripaski było miliardami Putina? Wygląda na to, że dużo. Ci, którzy mieli z nim interesy w czasach, kiedy był szefem wydziału zagranicznego w merii, a potem wicemerem, zgodnie opowiadali – jak jeszcze można było – że był niesłychanie pazerny na żywą gotówkę, że wymuszał po prostu łapówki i haracze i to wszystko chomikował w sowiecki sposób, czyli w skrzynkach. Podobno nie wierzył w żadne banki poza „bankiem ziemskim".

WJ: Czyli wierzył w zakopywanie kosztowności na działce.

HG: W pewnym momencie Putin zaczął być po prostu zachłanny. Kiedyś jeden z byłych współpracowników z pierwszej jego kadencji powiedział w rozmowie z nami takie zdanie: „A kto mógł pomyśleć, że będzie kupował te zegarki złote, po co mu te zegarki w tej ilości?". Ta jego zachłanność rośnie z wiekiem – chyba trochę taka starcza się staje w pewnym momencie.

Szczelina w wizerunku

WJ: Czy Putin nadal cieszy się poważaniem wśród Rosjan?

HG: Rosjanie coraz częściej z Putina się śmieją. To poszło szeroko, trafiło do ulicy. Że „staruszek Kabajew", że ten arcyżuraw. Teraz śmiech stał się jednak trochę niebezpieczny. Przede wszystkim już nie o śmiech chodzi, ale o to, w jakiej kondycji jest prezydent. Poza tym nie wiadomo, czy w czasie wystąpień publicznych na scenie występuje on, czy jego sobowtór. Tu się często nic nie zgadza, bo jednego dnia Putin wyraźnie utyka, a następnego biega.

WJ: Zwykli ludzie są do niego dopuszczani czy też on się zaczyna izolować?

HG: Jest taka słynna historia z kolumną rządową, która się zatrzymała i Putin wyszedł z limuzyny pomachać do ludzi. Tylko tyle, że tych ludzi nie dopuszczono bliżej niż na kilkadziesiąt metrów.

WJ: A to nie jest tak, że z nim jest trochę jak z Łukaszenką, to znaczy wyrosło całe nowe pokolenie, a prezydent dalej odgrywa ten sam spektakl i staje się po prostu anachroniczny i trochę – to już dla majestatu groźne – żałosny i śmieszny?

HG: Śmieszność Putina to są ostatnie lata. Ja myślę zresztą, że szczelina w jego wizerunku pojawiła się tak naprawdę przy okazji ostatnich wyborów prezydenckich, a nabrała przyspieszenia przy operacjach nad konstytucją, żeby wydłużyć mu pełnomocnictwa i tak dalej. Jest przynajmniej pięciu czy sześciu polityków, których, kiedy on postanowił nie tylko przedłużyć sobie kompetencje, ale wręcz dożywotnio zostać prezydentem, krew zalała, bo liczyli na to, że w końcu przyjdzie ich czas. Pewnie dlatego zaczęły się pojawiać przecieki, które uderzają w najważniejsze punkty jego ego. Oto mamy silnego fizycznie sportsmena, a tu nagle pojawia się informacja, że spadł ze schodów, obił sobie kość ogonową i jeszcze potem nastąpiła defekacja w spodnie. Przeciek ten trafił do zachodnich mediów, ale funkcjonował też w tzw. Runecie, czyli „russkom Internecie".

Problemem jest też to, że on sam się zaczyna chwilami kompromitować. Cudna była na przykład migawka z nieudanym toastem przy wręczaniu odznaczeń za wojnę w Ukrainie. Warto obejrzeć, bo on ma wyraźnie jakiś problem, mówi od rzeczy, nieskładnie i jeszcze mu się ręka mocno trzęsie. Jego przemówienia są coraz gorsze. Po pierwsze, on chyba czasami odchodzi od tekstu i wylewa się z niego taki trochę nieskładny strumień świadomości. Po drugie, jego leniwi speechwriterzy, którzy kiedyś mu przygotowywali zawsze dobre teksty, w pewnym momencie zaczęli odwoływać się do tekstów, które były już wcześniej. Nawet nie jego, ale tekstów historycznych. Przykładowo na Forum Petersburskim była taka dobitna wypowiedź prezydenta, że Rosja ma tylko dwóch sprawdzonych, prawdziwych sojuszników: armię i flotę, tyle że każdy wie, że to jest cytat z wypowiedzi cara Aleksandra III. Putin natomiast sprawiał wrażenie, jakby nie wiedział, że podsunęli mu stary tekst. Takich rzeczy było jeszcze parę.

WJ: Wraz z wiekiem staje się też coraz bardziej podejrzliwy, co jest typowe dla starzejących się dyktatorów, którzy intuicyjnie czują, że gdzieś tam na zapleczu ktoś już przymierza się do roli Brutusa.

HG: Sporo się zmieniło w ostatnich latach. Dawniej Putin nie bał się pałacowego zamachu, natomiast ostatnio, sądząc po zwiększonej ochronie, zaczął się go obawiać. Nie myślę jednak, żeby on się najbardziej bał swoich. Uważa zapewne, że ma gwarancję, że jego bezpośrednia ochrona, jego otoczenie go nie sprzeda, że to są ludzie z nim mocno jednak związani. W kryminalnych kręgach rosyjskich istnieje taki termin „krugowaja paruka". To jest takie wzajemne zabezpieczenie, on ma coś na mnie, ja mam coś na niego, ty masz na niego, ja na ciebie i tak dalej, i wszyscy jesteśmy powiązani, i tego rozsupłać się w prosty sposób nie da. Wszyscy się wzajemnie ubezpieczają i ten krąg osób stanowiących ochronę Putina, rzeczywistą ochronę, to nie jakiś tam napruty generał Zołotow ze swoją gwardią, tylko ci najlepsi z najlepszych.

Jak świat widzi Putina, jak Putin widzi Polskę

WJ: Putin wprowadził do rosyjskiej polityki nową jakość. On jest nie tyle odważny, co brawurowy, z czym się skądinąd wiąże wielkie ryzyko. To jest coś, co fundamentalnie odróżnia rosyjskie elity od radzieckich. I sowiecki korpus oficerski od korpusu oficerskiego rosyjskiego. To znaczy Sowieci, przy całym swoim imperializmie i całej swojej agresji, po 1945 roku jednak się pilnowali, jednak byli ostrożni. Być może to była kwestia bolesnego doświadczenia II wojny światowej. Sowieci nigdy sobie nie pozwalali na jakieś tego rodzaju prowokacje, jak regularne latanie na granicy kolizji, jak robią to dzisiaj Rosjanie chociażby nad Bałtykiem. U nas w Polsce związane z tym ryzyko się ignoruje, a ja mam poczucie, że oni są dziś zdecydowanie mniej przewidywalni od siebie samych sprzed trzydziestu czy czterdziestu lat. Rosją rządzą majorowie i pułkownicy, a nie marszałkowie i generałowie z krwawo okupionym frontowym doświadczeniem i to powoduje, że im chyba brakuje takiej przychodzącej z wiekiem rozwagi.

HG: Tak, to ryzykanctwo połączone z blefem.

WJ: Z takim blefem zbyt daleko posuniętym, którego – w odróżnieniu od tego normalnego – na kursach generalskich oduczają.

HG: To jest to, z czego carscy oficerowie w akademiach sztabu generalnego ZSRR usiłowali oduczyć czerwoną generalicję i wychowanków wojny domowej. Jest taka słynna historia, kiedy w ławce uczniowskiej siedzi Budionny, a za katedrą stoi stary carski generał sztabowy i tłumaczy, jak nie należy wojować, pokazując jako klasyczny przykład źle przeprowadzonej operacji rajd 1 Armii Konnej w 1920 roku w Polsce. I w pewnym momencie Budionny zrywa się i ryczy: „Łżesz!". Generał reaguje z politowaniem i mówi: „Siadajcie!". A Budionny do niego strzela z nagana. Generał się na niego patrzy pobłażliwie i mówi z pogardą: „I co? Znowu żeś nie trafił". Armia sowiecka w II wojnie poniosła tak potężne straty, że ci, którzy przeżyli, wiedzieli, że należy uważać. Natomiast Putin jest ryzykantem, a jego ryzykanctwo zostało utrwalone właśnie przez wolny świat, bo szedł od coraz mniejszych blefów do coraz większych i to wszystko przechodziło. 2014 rok jest tutaj fundamentalną cezurą. Jak wyszedł mu Krym, on doszedł do wniosku, że to jest uniwersalny modus operandi. I że zgniły Zachód, te – jak to się w Rosji mówi – „pidarasy" nigdy mu się nie postawią, że wszystko przełkną. Logiczne jest zatem, że skłonność do ryzyka się powiększała.

WJ: To jest właśnie kluczowy moment. Myśmy im w 2014 roku nie dołożyli, tylko oni nam.

HG: Tak, zdecydowanie tak. Świat demokracji został wtedy dotkliwie wychłostany.

WJ: Inaczej. Jeden z Rosjan z opozycji, z którymi rozmawiałem, użył tu wyjątkowo wulgarnego wyrażenia – sam nie wiem, czy tu przytaczać, ale może trzeba, żeby czytający byli w stanie wejrzeć w ten prawdziwy rosyjski świat, gdzie nie ma żadnego Puszkina, Turgieniewa. Otóż on mi wówczas powiedział, że Putin „przecwelował" Zachód.

HG: Przy czym on jednej rzeczy nie rozumiał. Że częściowo reakcja na jego grubiaństwo, na jego chamstwo brała się stąd, że w powszechnym odbiorze grubiaństwo jest cechą immanentną Rosji, no więc nie będziemy się z koniem kopać. Wiemy, z kim rozmawiamy, koniec kropka. Tymczasem Putin to traktował jako pewien indykator, jako znak akceptacji i kapitulacji.

WJ: No nie wiem, czy Niemcy i Francuzi, ale też niektórzy nasi politycy cokolwiek rozumieli. Z drugiej strony mam też takie wrażenie, że to jest troszkę tak, że Zachód nie reagował nie dlatego, że był słaby, ale dlatego że uważał, że nie warto reagować, bo Rosja jest w gruncie rzeczy słaba. Mam wrażenie, że Zachód myślał, że putinizm to jest choroba, którą należy przeczekać. Istotne było chyba też przeświadczenie, że elita, która kradnie, będzie chciała dalej kraść, a nie stracić majątek. I to nie było irracjonalne założenie. Teraz wszyscy krytykujący Zachód mówią, że Zachód zachowywał się irracjonalnie. Nie, to Rosja zachowała się irracjonalnie. Zachód zakładał, że, mówiąc krótko, skoro ta elita jest tak straszliwie skorumpowana, trzyma pieniądze na Zachodzie, tam wysyła na studia swoje dzieci, kochanki i tam kupuje domy, to przecież nie będzie chciała tego wszystkiego stracić. Naszym błędem było w gruncie rzeczy to, że myśmy założyli, że oni będą postępować racjonalnie.

HG: Problem polega na dwóch absolutnie różnych językach i kodach kulturowych. Myśmy nie rozumieli języka, którym mówią oni, a oni w zasadzie nie do końca rozumieli nas, bo nigdy nie wniknęli w język Zachodu. Nasz racjonalizm, umiarkowanie i skłonność do kompromisu traktowali jako słabość, a myśmy oczekiwali od nich z kolei stosowania się do pewnego kodu kulturowego, który jest im całkowicie obcy.

WJ: Ja bym powiedział, przekładając to na polskie realia, że gdyby można polską politykę zagraniczną podzielić na tej zasadzie, że stworzyć dwa MSZ-ety – jeden od Wschodu, za który by odpowiadał PiS, i jeden od Zachodu, za który by odpowiadała PO, to byłoby całkiem dobrze, dlatego że PiS mentalnie pasuje do rozmowy z Moskwą, ale nie należy ich wypuszczać na Zachód, bo oni nic nie rozumieją. Natomiast tamtych z PO z kolei nie należy wypuszczać broń Boże na Wschód, bo też nic nie rozumieją.

HG: Na początku w Moskwie Tuska potraktowali poważnie. Natomiast już po tej sławetnej moskiewskiej wizycie, po przyjeździe, po rozmowach, przestali go poważnie traktować. Oczekiwali polityka innego kalibru, innej klasy. Sądzili, że ktoś, kto potrafił PiS-owi odebrać władzę, to polityk wagi ciężkiej. A Tuskowi zabrakło twardości. To, co jest jego siłą w różnych przetargach europejskich i polskich, czyli jego nadmierna momentami giętkość i śliskość, w konfrontacji ze Wschodem nie mogło zadziałać.

WJ: Zobaczyli faceta, który popełnił podstawowy błąd, bo Tusk ogłosił reset z Rosją, zanim reset zrealizował. Bo to jest tak, jakbym chciał ci sprzedać używany samochód, ale zobowiązał się do podpisania umowy z tobą, zanim wynegocjuję cenę. No to mówiąc krótko, jestem złym sprzedawcą używanych samochodów. Zresztą dokładnie według tego samego schematu PiS realizował reset z Białorusią. Ogłosił reset, a potem zaczął myśleć, jak go przeprowadzić.

HG: A wiesz czemu?

WJ: Wiem. Bo politykę wschodnią PiS prowadziła ta sama ekipa, która wcześniej, równie nadgorliwie i co gorsza równie niefachowo, służyła PO, ale po wyborach odnalazła w sobie gen konserwatyzmu. Jeżeli chcesz zrobić reset z Rosją czy Białorusią, to musisz na dzień dobry im pokazać nie dobrą, a złą, czy też może gotowość do złej woli. Do tego był jeszcze problem z Sikorskim. Oni nim gardzili. Poza tym mieli przygotowany profil psychologiczny...

HG: ...bufona i głuszca i nie ukrywali tego, co o nim myślą. Historia, którą myśmy widzieli od środka, a która się rozeszła po rosyjskim MSZ, czyli wycieczki Sikorskiego na Kreml, potwierdziła całą tę diagnozę. Próba wjechania samochodem ambasady na Kreml, bilety na zwiedzanie kupione w kiosku dla turystów, na inną godzinę. No przepraszam, jaki szanujący się minister ze świata coś podobnego robi? Takie rzeczy załatwia się wcześniej przez protokół, omawia z miejscowym MSZ, MSZ wyznacza prawie że wartę honorową, przyjmuje się go oficjalnie na Kremlu, a ten tymczasem sobie spontaniczną wycieczkę do muzeum zrobił. Na koniec podobno jeszcze zakomunikował, że nie pójdzie na Pokłonną Górę, czyli na święte dla Rosjan miejsce, składać kwiatów, bo go obrażono, nie wpuszczając na Kreml. Ustąpił po ostrej reakcji ambasadora.

WJ: Poza tym żaden europejski polityk, który pracował w amerykańskim ośrodku analitycznym, nie będzie traktowany przez Rosjan jako samodzielny aktor na scenie politycznej.

HG: To jedno. Ale jest jeszcze kwestia podstawowa. Dzięki różnym bufonowatym frazom i puszczaniu oka do czytelnika i słuchacza naszego Radka można było rosyjskiej publiczności przedstawiać jako mordercę Rosjan. Jak opowiadał o swoich wielkich dokonaniach w Afganistanie, przyjaźni z mudżahedinami, to raczej dużych szans na sukces w rozmowach z Rosjanami nie miał. Pamiętam, jak w Moskwie zadawano sobie wówczas pytanie: „A ilu naszych zabił?".

WJ: I jeszcze sprawa „rozbiorów", i całe zachowanie w niej Sikorskiego.

HG: Jak myślisz, czemu Rosjanie zaproponowali rozbiór Ukrainy Tuskowi? O co im chodziło?

WJ: Radosław Sikorski twierdzi, że tak było, a ja wierzę w prawdomówność Radosława Sikorskiego. Zrobili to po to, żeby Donald Tusk zareagował w sposób, który wydawałby mu się nieprzyjęciem propozycji, ale nie padłoby sformułowanie „oczywiście nie". Na przykład powiedziałby „no, to ciekawa koncepcja, wróćmy do niej przy innej rozmowie". Co w naszej polityce by oznaczało „spadaj człowieku na drzewo", a w nagraniu wyglądałoby, jakby Donald Tusk rozmawiał z Władimirem Władimirowiczem o podziale Ukrainy. I takiego nagrania można użyć, ale tego by nie zrobili, bo publicznie nie można użyć nagrania zrobionego przy Putinie. Ale można je odtworzyć Ukraińcom. Ale może też wreszcie nikomu go nie chcieli odtworzyć, ale dać do zrozumienia Tuskowi, że my mamy to nagranie.

HG: Czy Tusk zachował się profesjonalnie?

WJ: Tusk zachował się profesjonalnie, Sikorski nie. Bo ujawnienie tej prowokacji w logice poważnej propozycji złożonej przez Rosję jest bezsensowne.

HG: Trzeba było siedzieć cicho i udawać, że prowokacji nigdy nie było.

WJ: I tu dochodzimy do ciekawego punktu. Ja mam wrażenie, że jedynym realnie skutecznym polskim politykiem był Aleksander Kwaśniewski w 2004 roku w czasie pomarańczowej rewolucji. Można mówić oczywiście o Andrzeju Dudzie teraz, ale to jest coś zupełnie innego, bo dziś robimy w polityce wschodniej to, co skądinąd słusznie, robimy wspólnie z całym szeregiem państw. Kwaśniewski w 2004 roku, nie będąc już przecież prezydentem, jednak kreował politykę Zachodu. Mam przy tym wrażenie, że przyczyna jest bardzo prozaiczna. Mianowicie, postkomuniści, wywodząc się z tej szkoły, nazwijmy to umownie, układania się, wykształcili w sobie pewien rodzaj realizmu politycznego, który jest obcy tradycji postsolidarnościowej. Trzeba tu dodać, że Kwaśniewskiego w Rosji realnie za 2004 rok nienawidzą. Jakby Władimira Putina spytać, kogo on tak naprawdę w Polsce nienawidzi, to on niemal na pewno na pierwszym miejscu Kwaśniewskiego wymieni. Nie Jarosława Kaczyńskiego za te czołgi dostarczone Ukrainie, a właśnie Kwaśniewskiego.

HG: A na drugim miejscu wymieni, choć to Amerykanin, Brzezińskiego, bo on im też zalazł za skórę. W przypadku Kwaśniewskiego Putin jego działania w Kijowie potraktował w kategoriach osobistej zdrady. Do 2003 roku stosunki układały się bardzo dobrze. Ja akurat maczałem palce w przygotowaniu wizyty naszych władz na trzystulecie Petersburga. Stosunek do Kwaśniewskiego był wówczas w kręgach rosyjskiej władzy znakomity. Ilość komplementów pod adresem prezydenta RP, jakie usłyszałem w rosyjskim MSZ, była gigantyczna. To się wszystko nagle, jak nożem uciął, skończyło po Kijowie. Do tego jest jeden nawet taki zabawny moment, że jak potem się Kwaśniewski chciał spotkać z Putinem, pamiętasz, gdzie nastąpiło spotkanie ich po kryzysie kijowskim? Putin spotkał się z Kwaśniewskim w czasie manewrów Floty Bałtyckiej na pokładzie okrętu. Kwaśniewski koniecznie chciał ocieplić atmosferę. Wymusił wtedy na Bibliotece Narodowej rzecz, której nie mógł się doprosić na obchody jubileuszu Petersburga. Mało kto wie, że w Polsce w zbiorach Biblioteki Narodowej zachowany jest komplet rysunków Bartolomea Rastrellego, wielkiego włoskiego budowniczego Petersburga, dotyczących głównych budowli carskiej stolicy i okolicznych rezydencji. I myśmy chcieli skany tych prac przekazać do Ermitażu. Jego dyrektor po prostu się modlił o to. Daremnie. Rok później, po Kijowie, żeby ocieplić atmosferę, Kwaśniewski wymusił wreszcie na Bibliotece Narodowej zrobienie kopii. Wręczył to Putinowi i dalej nastąpiła wielka scena. Putin jako petersburżanin, leningradczyk, w pierwszym momencie prezentem się zainteresował. Z nadzieją w głosie zapytał: „To oryginały?". Na co Kwaśniewski zgodnie z prawdą mówi: „Nie, ale to są jedyne na świecie kopie". I Putin tę teczkę rzucił asystentom. Potraktował, może nie z buta, ale z waszecia naszego Aleksandra.

WJ: Drugim momentem, kiedy wzbudziliśmy szacunek, była Gruzja. Kiedy wybuchła wojna w Gruzji, rosyjski MSZ się zamknął, nie było żadnej możliwości rozmowy, po prostu nie przyjmowali nikogo. Po dwóch dniach wspólnie z kolegą z ambasady Czech zadzwoniliśmy do Rosjan, mówiąc, że mamy pewną informację od Amerykanów, chcemy się z nimi spotkać. Oni nas przyjęli, bo chcieli wiedzieć, co nam powiedzieli Amerykanie. To było zresztą o tyle zabawne, że nam Amerykanie nic nie powiedzieli i cała rzecz była kłamstwem od A do Z. Szczegóły są mało istotne, ale dość powiedzieć, że przyjął nas – ja byłem wtedy pierwszym sekretarzem, a mój czeski kolega chyba nawet drugim – wiceminister. Wiceminister przyjmujący pierwszego i drugiego sekretarza u Rosjan to jest coś niespotykanego, coś, co w ogóle nijak nie pasuje do reguł, bo myśmy byli wówczas przecież jeszcze co najwyżej średniej rangi dyplomatami. On nas tym niemniej przyjął i mówi, że on nas przyjmuje, bo dyplomaty z kraju, który tak bardzo zaszkodził Rosji, jak Polska, nie może nie przyjąć, i dodał, że tego, co zrobił Kaczyński, „nie zapomną, ale i nie wybaczą". Jak dziś to pamiętam. Uważam zresztą, że naigrawanie się z wizyty Lecha Kaczyńskiego w Tbilisi przez tę całą palikociarnię i inną hołotę, było wówczas haniebne. Haniebne jest przypisywanie Tuskowi niemal sprawstwa katastrofy smoleńskiej, ale haniebne było też odmawianie Lechowi Kaczyńskiemu tego, że zmusił prezydenta Francji do modyfikacji polityki. Pozbawiona krztyny szacunku dla prawdy jest amnezja o tym, czego dokonał Aleksander Kwaśniewski. A jak oceniają Rosjanie obecny rząd?

HG: Co do brata wspomnianego przez ciebie śp. prezydenta, co do Jarosława, widzą go jako polityka antyrosyjskiego, bo jest antyrosyjski. Państwo, które dostarczyło niemal trzysta czołgów i sto wyrzutni Ukrainie, które naruszyło swoje zapasy strategiczne amunicji artyleryjskiej, jest antyrosyjskie.

WJ: Są tacy, którzy twierdzą, że PiS to rosyjska agentura. Nie sądzisz, że tu umyka im jedna, dość w gruncie rzeczy banalna, konstatacja? Ta mianowicie, że PiS nie jest żadną agenturą, tylko jest po prostu niezbyt rozgarniętą partią, bo nie rozumiał i co gorsza nie wiem, czy nawet teraz zrozumiał, że nie można być równocześnie antyrosyjskim i antyzachodnim.

HG: No chyba że się uwierzy, że jesteśmy już mocarstwem regionalnym.

WJ: Tu jesteśmy podobni do Rosjan, nie sądzisz? Oni też uwierzyli w swoją siłę, zanim tę siłę realnie mieli. Ale skoro mówimy o tym, ile my realnie znaczymy, to na koniec pytanie zupełnie fundamentalne. Czy i jak Rosjanie nas widzą na mapie interesów? W ogóle nas zauważają? Jako istotnego gracza?

HG: Myślę, że nie. Myślę, że zawsze widzieli raczej Waszyngton, Berlin, Paryż, Londyn. W Europie może jeszcze Rzym. Dalej Tokio, Pekin, New Dehli.

WJ: I nawet teraz Warszawy nie zauwa-żają?

HG: Zauważanie wymaga dwóch elementów. Po pierwsze, to, co należałoby zauważyć, musi być zauważalne. Po drugie, trzeba chcieć to zauważyć. Z tym drugim Rosjanie jeszcze długo będą się borykać.

WJ: Załóżmy, że zauważą.

HG: To i tak się z nami układać nie będą, bo wiedzą, że z każdym będzie łatwiej się ułożyć niż z nami. Więc jak zauważą, to będą udawać, że nie zauważyli.

◐

Rozdział II
Kreml

Zmiana elity

Witold Jurasz: Gdybyś miał krótko scharakteryzować ekipę Putina, bo do bardziej szczegółowych portretów przejdziemy później, to jakiego pokroju są to ludzie?

Hieronim Grala: Z Putinem pojawiają się na Kremlu ludzie wychowani w Związku Radzieckim, ale niezajmujący tam żadnych poważnych funkcji, ludzie służb poziomu kapitanów i majorów, którzy stracili swoją radziecką ojczyznę. Wszyscy są w dosyć podobny sposób wykształceni, wychowywali się w podobnym okresie, w bardzo podobnych środowiskach, w domach z bezpieczniacką, wojskową albo aparatczykowską tradycją.

WJ: Nie wywodzą się z sowieckiej elity.

HG: W większości przypadków nie. To raczej dzieci takiej małej materialnej stabilizacji. Przeciętne dosyć wykształcenie, bo tutaj mało jest wychowanków elitarnych kierunków, raczej kierunków, które dawały możliwość wciśnięcia się w aparat. I to są tacy ludzie bezwonni, bezdymni, mało dostrzegalni. To zdecydowanie nie są żadni potomkowie starych żubrów, przekonanych o własnej pozycji, o własnym autorytecie, własnym doświadczeniu, ale jednocześnie niebudujących jakiejś wielkiej prosperity finansowej dla siebie. Przychodzi grupa, która połączona jest podobnym duchem, która wypada dosyć zgrzebnie, są zakompleksieni, zaczynają się uczyć świata. Robią dla siebie wewnętrzne kursy wiązania krawata, jedzenia krabów, autentycznie. Nie powinno nas to dziwić, takie same kursy prowadzono w Polsce w latach czterdziestych dla naszych PRL-owskich dyplomatów. Był specjalny pracownik w MSZ, który miał nauczyć na przykład jadącego do ważnej stolicy europejskiej zasłużonego towarzysza, jak się posługiwać sztućcami, jak się zachowywać na kolacji, no i to były słynne kanoniczne rady, że towarzyszu, a towarzysz był akurat z branży tkackiej, jak widzicie, że królowa brytyjska ma na sobie żakiet tweedowy, to nie bierzcie tego palcami, nie mówcie: setka, bo jak królowa to założyła, to na pewno jest to wełna setka. Ponieważ urzędnik mieszkał blisko

MSZ, to pobierał z kasyna specjalne surowce, miał ich potem uczyć w domu, jak tego kraba rozłożyć i tak dalej.

Wracając do ludzi z ekipy putinowskiej – wkrótce zaczynają mieć pieniądze, przez służby wyciągnięte z gospodarki, zaczynają się lepiej ubierać, zaczynają jeździć po świecie.

WJ: Czyli to jest opowieść o awansie społecznym.

HG: W całej swej okazałości z wszystkimi tego stanu rzeczy wadami, które tym są silniejsze, im ów awans bardziej gwałtowny.

WJ: Jakbyś miał wymienić jedną cechę, która fundamentalnie różni ekipę putinowską od tej jelcynowskiej, to co by to było? No bo nie złodziejstwo, bo kradli jedni i drudzy, i nie skłonność do mordów, bo mordowano i za Jelcyna, i za Putina, tylko skala się różniła.

HG: Myślę, że to jest coś, co zaczyna się w tych akademiach KGB w latach siedemdziesiątych. W służbach idiotów nie trzymano ani też żulii do nich nie werbowano. To była jednak selekcja pozytywna, zgromadzono tam ludzi zdolnych szybko się uczyć, mających dobrą pamięć i wzrokową, i taką powiedziałbym mnemotechniczną, żeby umieć dostosowywać się do warunków. Uczono ich jednak jeszcze jednej rzeczy, co ich w efekcie fundamentalnie odróżniało od dworu jelcynowskiego. Oni nie pili. Bardzo niewiele, a jak mieli pić dużo, to się przygotowywali na przykład farmakologicznie. Tak jak szpiedzy przed spotkaniem z informatorem na punkcie kontaktowym za granicą.

WJ: Wiesz, to jest swoją drogą ciekawe, bo ja po tym, gdy opublikowałem *Demony Rosji*, spotkałem się z pytaniem, jak to możliwe, że napisałem książkę o Rosji, w której nie ma słowa o alkoholu. A ja pisałem przecież nie o prowincji, ale o Moskwie i o elicie. A tam się wyśmienite wina pija, a nie wódkę.

HG: No właśnie, bo w pierwszej dekadzie tego stulecia nastąpiła fundamentalna zmiana. Oni przestali pić i tu przykład poszedł od góry. Również na prowincji. Wraz z odmłodzeniem się elit lokalnych, administracji gubernialnej, spożycie alkoholu spadło gigantycznie. A wcześniej, pamiętam to z czasów mojej pracy w Petersburgu, władze obwodów (*obłasti*) miały takie stałe miejsce, w którym podejmowano delegacje zagraniczne. Picie zaczynało się w zasadzie od razu, a kończyło w chwili, gdy ludzie tracili przytomność. Kilka takich wieczorno-nocnych przyjęć przeżyłem – pamiętam na przykład gubernatora obwodu leningradzkiego, który miał zwyczaj się upijać tak, że pod koniec, jak żegnał się z gośćmi, to wzdłuż stołu prowadziło go dwóch adiutantów. To się nagle, jak nożem uciął, skończyło. Mam wrażenie, że to się wiąże ze zmianą sposobu zarządzania regionami, guberniami, z tym pionowym podporządkowaniem, gdy decydującą rolę w nominacjach zaczął odgrywać aparat prezydenta i zaczęto po prostu przywozić w teczce ludzi określonego wieku, na ogół młodych. Ja na przykład pamiętam gubernię, gdzie znałem starego gubernatora i jadąc tam, już wiedziałem, że będzie to ciężkie do przeżycia. A nagle zacząłem spotykać młodych ludzi, którzy przyszli na to miejsce, i do obiadu wypijało się kieliszek, czasem dwa dobrego czerwonego wina. Co więcej, oni wprowadzili niechęć do picia w środowisku popieranych przez siebie na stanowiska administracyjne wicegubernatorów i gubernatorów z młodszej generacji.

W czasach, kiedy jeździłem po Rosji przez tę dekadę mojego tam pobytu, to spora część gubernatorów to było sześćdziesiąt plus. I wiedziałem, że jak jadę, gdzie jest sześćdziesiąt plus, trzeba być przygotowanym na to, że będzie ciężkie doświadczenie. Ale jeżeli jadę tam, gdzie jest gubernator czterdzieści plus, to będzie kieliszek wina. Spotykałem się z wieloma z nich w różnych miejscach i skłamałbym, gdybym widział kiedykolwiek któregoś z tych ludzi naprutego jak borsuk.

WJ: A najściślejsza elita?

HG: Nigdy nie spotkałem człowieka, który byłby świadkiem, i to od czasów kariery jeszcze w Petersburgu, że Putin się spił. Nigdy nie spotkałem nikogo, kto powiedziałby mi, że był świadkiem, jak się upił Patruszew czy Naryszkin. I mógłbym to kontynuować, bo widziałem, jak spora część z nich zachowuje się za stołem. To była wręcz antyteza zachowania dworu jelcynowskiego. Za Jelcyna tam otóż została przekroczona masa krytyczna. Oni nie pili, tylko chlali. Jest taka wspaniała scena z Jelcynem, który ma wystąpić przed deputowanymi, obejmuje mównicę i ma krawat zarzucony do tyłu. I potem opowiada, że go otruli. Poza tym oni się również różnią pod tym względem od tych, którzy mieli korzenie dysydenckie, bo środowisko dysydenckie, tak samo skądinąd jak i nasze, miało zwyczaj chlania do, jak mówią na wschodzie, kwiku prosięcia, i uważali, że to jest całkowicie naturalne.

Teatr władzy

WJ: Wniosek z tego płynie taki, że dla nas chyba lepiej, jak na Kremlu piją, bo na trzeźwo są nie do zniesienia... Przejdźmy jednak do innego wątku. Nie masz wrażenia, że to nie są nawet źli ludzie, tylko znacznie gorzej, bo oni są poza dobrem i złem. Oni w ogóle tego nie rozważają. Czy to nie jest aby tak, że opisując rosyjską elitę, trzeba pamiętać, że to są ludzie, którzy są tak amoralni, że byliby w stanie oszukać wariograf, bo nie mają żadnego stosunku do tego, że kłamią? Nie wierzą w nic.

HG: Otóż to nie jest tak, że oni w nic nie wierzą, bo wierzą po pierwsze w państwo i po drugie w swoje prawo do okradania tego państwa.

WJ: Czyli nie wierzą w państwo.

HG: Wierzą, ale w ich wizji państwa – a ta wizja jest, dodajmy, głęboko zakorzeniona w historii, im jako elicie, po prostu „się należy".

WJ: Czyli są perfekcyjnie, doskonale amoralni i perfekcyjnie kompetentni. Tacy zimni jak głaz technokraci.

HG: Ale jak sam powiedziałeś, kompetentni. Niektórzy są wręcz wybitni. Ławrow mógł przejść do historii rosyjskiej dyplomacji jako jeden z najwybitniejszych dyplomatów w dziejach Rosji, człowiek na poziomie kanclerza Gorczakowa czy Siergieja Witte. Prawdziwy sługa państwa. Miał ambicje, żeby być kreatorem polityki zagranicznej państwa, z pominięciem premiera, jako najbliższy współpracownik prezydenta. Człowiekiem, który robił kolosalne wrażenie, był Surkow. Facet wszechstronnych talentów, znakomity, pisarz publikujący pod pseudonimem, tekściarz, posądzany czasem o czarną magię. Jedyny z nich wszystkich naprawdę erudyta. Pochodzenie oczytania bliżej nieznane, częściowo samouk jak Józef Stalin, bo chociaż studiował na dwóch uczelniach i nawet ma doktorat, to nic się tutaj kupy nie trzyma. Do tego jeszcze jakaś dziwna kariera w oddziałach Specnazu. Umiejętności zdumiewające, hipnotyzująca osobowość, naprawdę. Mógł wejść w tłum, mógł rozmawiać ze studentami w auli, wszelkie debaty telewizyjne, radiowe – radził sobie zawsze. Był człowiekiem dowcipnym, człowiekiem o naprawdę ogromnym backgroundzie socjologiczno- -filozoficznym. Znającym dobrze literaturę dotyczącą manipulacji, propagandy i stosującym to. Ciągle wymyślający jakieś scenariusze dla Rosji.

WJ: Nie jest przypadkiem, że Surkow pojawia się mniej więcej w tym momencie, w którym na Zachodzie zwycięża Tony Blair. Była taka wielka debata Blaira i Lionela Jospina, premiera Francji, czy lewica ma być lewicowa, czy lewica może być w zasadzie dowolna. Wygrywa Blair i ta opcja bardzo długo przynosi sukcesy europejskiej lewicy. Otóż mam wrażenie, że Surkow nie jest fenomenem rosyjskim, jest w gruncie rzeczy fenomenem ogólnoświatowym, on się nie wziął znikąd.

HG: Ależ dokładnie tak, z tym wszakże zastrzeżeniem, że czasem teoretycznie to samo – gdy tło jest zupełnie inne – oznacza coś zupełnie innego. Ty opowiadasz o czymś, co gdzieś w perspektywie prowadzi do być może nawet kryzysu demokracji.

WJ: Bo pojawiają się z czasem Jörg Heider w Austrii i Pim Fortuyn w Holandii, ale to są jeszcze jedynie sygnały alarmowe. A potem pojawia się Donald Trump. Na Zachodzie pojawia się kryzys demokracji. W Rosji to powoduje coś, co genialnie określił któryś z rosyjskich politologów, ale który, to niestety nie powiem, bo zapomniałem. Otóż on powiedział, że w Rosji nie ma polityki, tylko „specoperacja". W ogóle nie istnieje polityka w Rosji.

HG: I to dotyczy tak rynku krajowego, jak i zagranicznego. Weźmy na przykład Żyrinowskiego. Miał swoją misję, bez wątpienia, i cel polityczny, jakim było stworzenie postaci, wokół której pewne środowiska będą się grupować, a potem te środowiska stworzą partię. Ta partia zagospodaruje tę część elektoratu, która mogłaby przepłynąć do przeciwników władzy prezydenckiej. To był udany projekt polityczny.

WJ: A czy to nie jest tak, że po prostu był oficerem służb?

HG: Boże, a co to ma do rzeczy?

WJ: Ale był?

HG: No chyba był.

WJ: Czyli po prostu dobrze odgrywał swoją rolę.

HG: Rzekłbym doskonale. W Polsce Żyrinowskiego odbierano jako postać z pogranicza obłędu politycznego. Ale w bezpośrednim kontakcie był człowiekiem wręcz błyskotliwym, inteligentnym, a nawet erudytą. Obserwowałem go kiedyś na przyjęciu, oglądanie go opowiadającego facecje, dowcipy, było wielką przyjemnością. To był zwierz towarzyski. Spotkałem go też w telewizji moskiewskiej. Zamiast chama, walącego szklanką w Borysa Niemcowa, czy – to słynna scena z Dumy, kiedy jeden z jego akolitów kłóci się z wybitnym duchownym prawosławnym, przyciągając go za krzyż na piersiach do siebie, żeby skrócić dystans do walenia po mordzie – a Żyrinowski ryczy „wal popa", spotkałem człowieka ujmującego, kulturalnego, dowcipnego. Zresztą wiele jego wypowiedzi telewizyjnych, które traktowaliśmy jako pajacowanie, było wymyślonych, by zapewnić sobie funkcjonowanie polityczne.

WJ: Innymi słowy, był takim Jarocinem Władimira Putina. Jarocinem w znaczeniu wentyla bezpieczeństwa.

HG: Ależ oczywiście! To dobry przykład.

WJ: Kreml ciągle gra. Tu mi się od razu nasuwa na myśl podstawowy trik, który przez lata stosowała Moskwa. Dogadujcie się z nami, bo jak nie, to przyjdą hipernacjonaliści do władzy. I sami tworzą na wszelki wypadek, żeby być wiarygodnymi, tego hipernacjonalistycznego potwora, którym straszą. Kiedyś to mieli być komuniści, czyli Ziuganow, potem wszyscy zrozumieli, że Ziuganow ilorazem inteligencji raczej nie imponuje, więc pojawił się Żyrinowski. No a teraz zgodnie z zasadą, że po miękkich narkotykach przychodzą twarde narkotyki, no to po miękkich „straszyłkach", czyli straszydłach, przyszły twarde, czyli Prigożyn. Tylko że Prigożyn dokładnie tak samo jak Żyrinowski i Ziuganow jest straszyłką. A jeszcze, zapomniałbym, Dmitrij Rogozin po drodze był. Słowem na wewnątrz nostalgię za Sowieckim Sojuzem zamieniono na imperializm, imperializm na szowinizm, a teraz szowinizm na turboszowinizm. Zachód straszyli Ziuganowem, Żyrinowskim, Rogozinem, a teraz już czas na psychopatów, którzy rzekomo chcą zrzucić bombę atomową. To jest cały czas to samo. Cały czas jest to lipa.

HG: Wszystko jest lipą. Chyba ci nigdy nie opowiadałem, jak to było z wejściem do Dumy późniejszego szefa centralnej komisji wyborczej, czyli Władimira Czurowa. Czurow był kolegą Putina ze Smolnego, podlegał Putinowi i pisał dla niego przemówienia. Czurow jest człowiekiem wybitnej inteligencji, świetnie piszącym, świetnie mówiącym. Jest człowiekiem o ogromnych ambicjach kulturalnych, czego polscy malarze, filmowcy i muzycy wielokrotnie doświadczyli. Ja miałem przyjemność należeć do kapituły Nagrody Bałtyckiej. Gwiazda Bałtyku to się nazywało. I merostwo Petersburga do tej Gwiazdy wytypowało jako swojego przedstawiciela właśnie Czurowa. On się tam czuł jak ryba w wodzie, znał wszystkich reżyserów i aktorów całej strefy bałtyckiej. Przychodzi na posiedzenie, kiedy my szykujemy się do typowania kandydatur na następny sezon, i mówi: „Panowie, ja wiem, że następny termin mamy wtedy a wtedy, i wówczas postawię wam dużą wódkę, a raczej duże whisky, bo ja tu wiecie, kandyduję do Dumy i na pewno wejdę". Myśmy to puścili mimo uszu. Spotykamy się kolejny raz dzień po wyborach do Dumy. Już są listy wybranych, Czurowa na nich nie ma. Wszyscy, którzy przyszli na posiedzenie, mieli ze sobą gazety, wszyscy po drodze, jak nas tam było bodaj dwunastu (jak zbójców), sprawdzaliśmy, czy nasz kolega został posłem do Dumy. Czurowa na listach nie ma, wódki obiecanej też nie ma. No więc uznaliśmy, że mu się wstyd zrobiło i nie przyszedł. Obradujemy, nagle otwierają się drzwi i wpada zziajany Czurow. Ciągnie za sobą taczankę, czyli trzylitrową whisky na kółkach. Mówi: „Koledzy, ja was bardzo przepraszam, spóźniłem się, wiecie, obowiązki powyborcze, ale obiecana wódka jest". My chórem: „Władimir Jewgienicz, ale was nie ma na liście". „Jak to nie ma? Jestem!". Na stole lądują nasze gazety, mówimy: „Jewgienicz, ale nie ma". On się patrzy na nas z politowaniem i mówi: „Gospoda, ale wy nie tam gdzie trzeba patrzycie". Kompletnie zgłupieliśmy. A Czurow otwiera gazetę i pokazuje spis partii Żyrinowskiego. Podkreśla palcem swoje nazwisko na liście. Konsternacja. „Władimir Jewgienicz, jak to, przecież wy z partii prezydenta!". „No – mówi Czurow – ale prezydent sam osobiście przykazał...". Jeżeli Putin palcem wskazywał, kto ma wysoko lądować na liście wyborczej opozycyjnej partii, to po pierwsze, nie mogło to być wbrew Żyrinowskiemu, musiało to być dogadane. A Czurow, który przez tyle lat pisywał mowy dla Putina i był z nim po imieniu, oczywiście świetnie wiedział, jaka jest konwencja tego wszystkiego.

WJ: A kojarzysz to nagrywane na Kremlu obsztorcowywanie ministrów? To jest teatr przecież. Zaczyna Putin: „Dotarły do mnie informacje, że liczba mieszkań oddawanych w drugiej części trzeciego kwartału spadła o cztery procent w stosunku do wzrostu trzy procent w poprzednim okresie" i on rzuca tymi cyframi, wiadomo, że czyta to z promptera, ale show musi działać, skoro grają ten spektakl od lat. U nas w Polsce wszyscy by robili memy na ten temat, że prezydent zwariował, skoro uwierzył w to, że my uwierzymy w to, że on jest specjalistą od rybołówstwa w poniedziałek, a we wtorek rzuca wszystkimi możliwymi statystykami na temat budownictwa. A potem minister budownictwa odpowiada: „Władimirze Władimirowiczu, rzeczywiście doszło do poważnych zaniechań. Już zwolniłem swojego zastępcę i działamy". Władimir Władimirowicz: „Bardzo wam dziękuję, Iwanie Iwanowiczu, za operatiwnoje rozwiązanie problemu". Putin uwielbia skądinąd używać tego słowa „operatiwno", czyli operacyjnie, skutecznie – to jest zapożyczenie z języka służb. Obok tego teatru istnieje jednak i prawdziwa polityka, w ramach której wewnątrz ekipy władzy są podziały.

HG: Oczywiście, że istnieje, ale ona nie dotyczy tego, co nas najbardziej interesuje.

WJ: Bo podziały nie dotyczą tego, co nas interesuje, czyli polityki zagranicznej, tylko tego, czy ta lub inna firma, powiązana z tym lub innym człowiekiem z Kremla, otrzyma koncesję albo zamówienia państwowe.

HG: A w centrum tego wszechświata jest Putin, który pilnuje równowagi pomiędzy frakcjami, a ta równowaga jest, że tak powiem, tworzona, budowana w oparciu o przepływy finansowe.

Ewolucja putinizmu

WJ: Tylko że w te przepływy my w Polsce wglądu nie mamy. Porozmawiajmy teraz o pewnej epoce, którą umownie nazwałbym „putinizmem w wersji light". Czym się ta epoka charakteryzowała i czemu się skończyła?

HG: Po pierwsze, to jest epoka, kiedy w otoczeniu Putina są jeszcze prawdziwi inteligenci. Takim klasycznym przykładem, przedstawicielem tej inteligencji, mającej rzeczywiste ambicje intelektualne, jest Naryszkin. Naryszkin na przykład dla własnej przyjemności sobie odtworzył Rosyjskie Towarzystwo Historyczne.

WJ: Naryszkin cały czas jest w kręgu Putina.

HG: Owszem, ale to jest już człowiek po publicznym upokorzeniu, bo pamiętasz, jak go Wowa potraktował w czasie tego słynnego zebrania Rady Bezpieczeństwa, na którym decydowano, czy też precyzyjniej rzecz ujmując, podczas którego Putin ogłaszał swojemu otoczeniu decyzję o wojnie. Po tym wydarzeniu relacja Putina i Naryszkina jest już zupełnie inna. Innym inteligentem był wspomniany przed chwilą Czurow. Był taki czas, gdy otoczenie Putina stanowili ludzie naprawdę solidnego formatu. Brutalni, ale zarazem robiący czasem imponujące wrażenie.

WJ: Skoro opowiadasz o tym połączeniu bycia brutalnym i byciem inteligentem. Opowiadał mi znajomy, który pracował dla jednego z rosyjskich oligarchów, historię tego, jak wyglądało posiedzenie zarządu firmy w Monako. Właściciel firmy wynajął samolot, panowie polecieli do Monako, tam czekał jacht (a na nim, dodajmy, liczne „princessy", czyli księżniczki w tym drugim tego słowa znaczeniu), w którymś momencie był wypad do Mediolanu, koncert w La Scali i następnego dnia znajdują się w hotelowym jacuzzi. I w tymże jacuzzi ów rosyjski miliarder inicjuje dyskusję, kto ma lepszy głos, Domingo czy Pavarotti. I nagle zaczyna śpiewać fragment arii operowej. Czyli jest prawdziwym inteligentem, bo trzeba być inteligentem, żeby zaśpiewać fragment arii operowej. W tym momencie do jacuzzi usiłuje wejść jakiś Niemiec, na co nasz bohater mu mówi „paszoł na ch...". Kolega, który mi to opowiadał, mówi: „Zobacz, w Polsce albo umiesz śpiewać arię operową, albo mówisz ludziom, żeby wy...". Naprawdę nie możesz robić jednego i drugiego. U nas możesz być albo chamem, albo inteligentem. A w Rosji można być równocześnie jednym i drugim. To jest w ogóle istota rosyjskiej inteligencji. To znaczy, że oni mogą być nieprawdopodobnie oczytani i być równocześnie niesamowitymi skur...

HG: To ładna anegdota, bo rzeczywiście dobrze opisuje ten specyficzny odłam rosyjskiej elity, ale pamiętajmy, że jest też ta inteligencja w takim klasycznym rozumieniu.

WJ: Ależ oczywiście, ale jako że rozmawiamy o elicie, która ma na coś wpływ, to tę część, którą i ty, i ja znamy, szanujemy i podziwiamy, świadomie w naszej rozmowie pomijamy, bo jest bez znaczenia. Wróćmy do cech putinizmu oświeconego.

HG: Skoro oświeconego, to takiego, w którym musi być miejsce dla jakiegoś Richelieu. I wracamy nieuchronnie do Surkowa. Do pewnego momentu Putin rozumie, że Surkow jest dla niego świetnym intelektualnym zapleczem, wymyśla dobre rzeczy i nie ma tak naprawdę żadnych własnych ambicji. Również materialnych, bo on nie buduje żadnej osobistej fortuny, nie kradnie, nie skupuje pakietów, ma po prostu jakiś porządny majątek, jak na urzędnika państwowego przystało. Ich układ działał świetnie aż do chwili, kiedy nagle się okazało, że mając do wyboru służenie władcy lub służenie państwu, Surkow wybierze służenie państwu. I to przez władcę jest traktowane jako jednak nielojalność.

WJ: I następuje ewolucja Putina. Czy może systemu?

HG: Najpierw Putina, a w ślad za tym systemu.

WJ: Pytał mnie kiedyś znajomy o porównanie systemu politycznego w USA i w Rosji. Odpowiedziałem, że ich się nie da porównać, bo ich po prostu nic nie łączy. Obrazowo rzecz ujmując, jeśli prezydentem USA zostaje Trump, to nawet najgorsze jego instynkty nie wywrócą amerykańskiej polityki do góry nogami, bo jeszcze jest Kongres, Sąd Najwyższy, media. Jeśli – co nie daj Boże – umrze prezydent, też się tak naprawdę nic nie zmieni. W Rosji cała, ale to cała władza jest w rękach Władimira Władimirowicza.

HG: Co zawdzięczamy, przypomnijmy, również niestety Borysowi Jelcynowi, a przed czym przestrzegał Andriej Sacharow.

WJ: Skoro o tych czasach mowa, to przypomina mi się pewna historia. W połowie lat dziewięćdziesiątych ówczesny ambasador w Moskwie Stanisław Ciosek pytał mojego ojca, czy mi załatwić miejsce na MGIMO. Na co mój ojciec odpowiedział, że absolutnie nie, bo jeśli miałbym studiować gdzieś poza Polską, to w USA, na co Ciosek odparł, że nie o studia chodzi, ale o to, że poznam jakąś córkę kogoś z moskiewskiej elity i będę zamożny. A do USA i tak trafię, bo oni wszyscy kradną po to, by potem emigrować. Mój ojciec odparł, że to przecież bandyckie fortuny, na co Ciosek według relacji ojca miał się uśmiechnąć i powiedzieć: „A pradziadowie tych bogaczy amerykańskich to niby kim byli?". I jest coś takiego, że rzeczywiście, jeżeli spojrzeć na tę rosyjską elitę, to czymś zupełnie niesamowitym jest to, że ta elita zarabiała wielkie pieniądze w Rosji, ale fundusze emerytalne wszyscy co do jednego mieli na Zachodzie. Wszyscy oni wysyłają dzieci na Zachód. Różnią się tylko tym, że jedni zadbali o to, żeby te dzieci miały paszporty. Sankcjami objęto tylko tych, którzy po prostu nie zrobili tego ostatniego kroku, którzy machnęli ręką na to, żeby załatwić sobie paszport. Czy to nie jest tak, że my mówimy o nowej arystokracji, o nowych mandarynach?

HG: Do ekipy Kremla pojęcie mandarynów dobrze pasuje. My sobie w ogóle nie uświadamiamy tego, jak w istocie rzeczy doświadczenie mandaryńskie przystaje do Rosji. Kiedy my opowiadamy o Rosji, jako kontynuacji/następczyni Złotej Ordy, wyobrażamy sobie ordę jak z *Pana Wołodyjowskiego*. Natomiast przecież orda, ta z Pax Mongolica, to było przejęcie standardów administracyjnych, biurokratycznych Chin. Otóż ta orda dała właśnie Rosji to, czego myśmy nie zdążyli u siebie zrobić w czasach renesansu, czyli biurokrację, administrację.

WJ: Putinizm oświecony to czas profesjonalistów?

HG: Ależ oczywiście. Inaczej przez tyle lat by nas nie ogrywali. Dla zrozumienia propaństwowych odruchów dostrzec trzeba siłę instytucjonalną i ciągłość państwa. Urzędnik sowiecki, odrzucając przeszłość carską, czuł się dalej częścią mechanizmu urzędniczego Rosji, jakiejś idei rosyjskiej. Urzędnik czasów pierestrojki odrzucał komunizm, a czasem nawet ZSRR, ale czuł się kontynuatorem aparatu urzędniczego. My uważamy, że historia Rosji jest pokawałkowana na okresy i zawsze wszystko zaczyna się od początku, ale to nieprawda. Jest poczucie ciągłości państwa.

Dzisiejsza Federacja Rosyjska dlatego się upiera, że jest kontynuacją i Rosji imperialnej, i Związku Radzieckiego, co trudno mentalnie pogodzić, bo kata i ofiarę do jednego worka wsadzają. Dla nich ważne jest poczucie ciągłości, to jest trochę porównywalne z mitem tysiącletniej Rzeszy. Że to zawsze trwa. I ta administracja, ta biurokracja państwowa ma poczucie, że za nimi w przeszłości stoją pokolenia tych właśnie wybitnych urzędników. Ławrow, idąc do swojego gabinetu, widzi galerię swoich poprzedników od początku XIX wieku. I ma świadomość ciągłości.

WJ: Jak te elity urzędnicze wypadały na tle Zachodu?

HG: Otóż gdyby porównywać rosyjskich polityków do amerykańskich, ale biorąc pod uwagę nie lata dzisiejsze, ale dekadę, dwie temu, to porównanie do elit amerykańskich nie będzie dla Zachodu przyjemną diagnozą... W Rosji spora część tych postaci to są ludzie uprawiający politykę przez kilkadziesiąt lat nie na poziomie Izby Reprezentantów, tylko trzymający lejce w rękach w trudniejszym do rządzenia państwie. Rosja jest trudniejsza do rządzenia niż Stany Zjednoczone. Chociażby dlatego, że nie ma stałych mechanizmów. Dlatego też nie jest rzeczą przypadku, że różnym rosyjskim urzędnikom z ekipy putinowskiej z różnych etapów zdarzało się być najlepszymi ministrami finansów Europy, najlepszymi szefami banku centralnego na świecie, najlepszym ministrem spraw zagranicznych na świecie. No, przepraszam, to o czymś świadczy. Kto z was, mili państwo, pamięta szefa amerykańskiego banku centralnego, który by zebrał tyle nagród, ile zebrał Kudrin na przykład? Nawet w tych strasznych resortach siłowych Patruszew i jemu podobni – na Boga, nikt nie powie, że to nie są wybitni fachowcy w swojej ubeckiej klasie. Taka jest brutalna prawda, że to są fachowcy. Na tym polega też nasze polskie nieszczęście, my tego nie mamy. Rozbiory zrobiły swoje, przed rozbiorami niewydolność polskiej administracji, struktur władzy też zrobiła swoje. Polacy dużo się uczyli w szkole zaborców i w szkołach zaborców się sprawdzali jako urzędnicy administratorzy. A potem musieli ten patchwork pozszywać, po dwudziestu latach zaczęło to jakoś działać, wybuchła wojna i się rozsypało. Potem przychodzi władza ludowa, która zupełnie nie odczuwa związków ze starym. I ciągle mamy twór pozostający daleko w tyle za Rosją.

WJ: Część ludzi Putina była prawdziwymi państwowcami.

HG: Oczywiście. Nieoczekiwana kariera Putina stała się dla pewnej generacji sygnałem wywoławczym: to my też możemy. Nie wszystko jest dla nas, sierot po Związku Radzieckim, po służbach radzieckich, rozsypujące się, nie wszystko jest stracone. Wtedy wokół niego i wokół sztandaru zwarli szyki i stali się potężną grupą, jego zapleczem.

Po przyjściu Putina państwo nabrało sprężystości, choć teraz to się już skończyło. To bez wątpienia miało miejsce. I to jest to, czym on kupił społeczeństwo. Pierwsza samodzielna kadencja putinowska była jednak dowodem, że podejmuje się całe mnóstwo działań, które zmieniają charakter tego państwa. Poszerzała się baza społeczna władzy, poszerzała się baza wykształconej i przygotowanej inteligencji pracującej w administracji. Gra polityczna, scena polityczna były bardziej przejrzyste. Była jednak jakaś gra sił, do tego stopnia usiłowali dbać o zachowanie dekoru, że mając świadomość, że jest ograniczona liczba żetonów na stole, próbowali na wzór europejski stworzyć model partyjny. Rosja jest krajem bogatym, powinna więc być prawdziwa partia reprezentująca interesy konserwatywno-kapitałowe. Nie wyszło, ale przynajmniej usiłowali stworzyć scenę polityczną wedle sprawdzonego modelu światowego, mając świadomość, że skoro do normalności nam trochę jeszcze brakuje, spróbujmy więc wyprodukować tę normalność.

WJ: No to jakim cudem oni są tak profesjonalni, a armia okazała się aż taką wydmuszką?

HG: Tu masz cały splot czynników. Po pierwsze, to ta armia, skądinąd na szczęście, nie walczy wyłącznie z Ukrainą, ale też ze wspierającym Ukraińców potencjałem NATO. Po drugie, spora część tych ludzi, przytłaczająca większość, to są ludzie, którzy jednak w pewnym momencie zrozumieli, że – jak to Kmicic mówił Bogusławowi Radziwiłłowi – „moja fortuna przy waszych wyrośnie". Oni zaczęli otóż dorabiać się na państwie. Po trzecie – nie ma na świecie zawodowców, którzy są w stanie wygrać z systemem. A istotą tego systemu było i pozostaje to, że jak car uwierzy w swój geniusz, to musi nastąpić katastrofa.

WJ: Ona nastąpiła nagle, z dnia na dzień?

HG: Nie, to był proces. Na przykład Ławrow został złamany. Po 2012 roku zaczyna się jego zjazd, ponieważ w rozgrywce Miedwiediew – Putin pozwolił sobie na za dużo. Na krótko pod koniec urzędowania Miedwiediewa wykroił sobie prawie księstwo udzielne. A Putinowi jako premierowi zależało bardzo na jego poparciu, więc mu na to pozwalał. W momencie jak Putin wrócił do władzy, to przypomniał Ławrowowi, kto tu jest szefem. Później to już było wycieranie Ławrowem podłogi. Ławrow w obecnym momencie jest już człowiekiem wewnętrznie wypalonym, skończonym, niepogodzonym z samym sobą, bo jednak przez długie lata był państwowcem i dla niego bardzo ważny był interes państwa. Od pewnego czasu interes wyobrażony państwa, czyli interes, jak sobie go wyobraził Putin, niekoniecznie jest zbieżny z interesem państwa. I Ławrow to rozumie. To jest tak naprawdę tragedia wybitnego dyplomaty, który tak naprawdę został kapciowym prezydenta.

WJ: Mam pewną diagnozę, która jest totalnie obrazoburcza. Mianowicie, my, szczególnie w Polsce, ale też szerzej – na Zachodzie, mamy głębokie przekonanie, że nie byliśmy wobec Rosji agresywni. To jest oczywiście prawda, ale też Rosjanie, mówiąc coś dokładnie przeciwnego, wcale wbrew pozorom niekoniecznie kłamią. Myśmy otóż wspierali organizacje na przykład walczące z korupcją. W naszym przekonaniu to było działanie niewinne, nie chcieliśmy Rosji odebrać jej pozycji mocarstwowej, nie chcieliśmy Rosji odebrać żadnego terytorium. Ale rosyjska elita rozumuje inaczej niż my i autentycznie uważa, że ich – elit – interes oraz interes państwa to jest jedno i to samo. Myśmy, choćby zwalczając ową nieszczęsną korupcję, w ich odbiorze ich atakowali. Finansowanie, wspieranie tych wszystkich antykorupcyjnych, obrończo-prawo-człowieczych czy jak ich zwał ruchów, nie było agresją w stosunku do Rosji, ale przez fakt, iż było w istocie agresją w stosunku do elity, ta elita odbierała jako atak na Rosję. Bo oni utożsamiają Rosję ze sobą. Tam nie ma po prostu takiego rozdzielenia. Trzeba też zrozumieć, jaki jest stosunek rosyjskiej elity do własnego narodu. Otóż własny naród jest hołotą. Oni traktują własny naród jako coś obcego, niebezpiecznego. Pamiętasz takie określenia, jak „bydło", „kołchoźnicy", „cziernomas", czyli czarna masa. No i kolejna sprawa. Nasze działanie nie miało sensu z zupełnie oczywistego powodu. Nie należy otóż zwalczać korupcji w Rosji, bo dla nas to dobrze, że w Rosji się kradnie. Dużo gorzej dla Ukrainy by było, gdyby rosyjskiej armii nie rozkradziono.

HG: Na nasze szczęście Putin nie okazał się Łukaszenką. Bo na Białorusi kradnie się jednak mniej.

WJ: A to skoro o nim wspomniałeś, to zawsze mnie bawiło traktowanie Łukaszenki jako tego głupszego, a on może jeszcze przeżyć Putina. Z banalnego w gruncie rzeczy powodu. W systemie putinowskim dobrze żyje pułkownik, generał, wiceminister, dyrektor departamentu. Niżsi rangą czują się pokrzywdzeni, bo widzą swoich szefów, którzy są milionerami, natomiast oni sami tymi milionerami już nie są. W systemie łukaszenkowskim generał ma mercedesa klasy E, bo nie S. Pułkownik ma mercedesa klasy C. A zwykły stójkowy ma dację dustera. Ale też coś ma. W związku z tym Łukaszenki będzie bronił nawet stójkowy, zwykły krawężnik będzie go bronił. Łukaszenka systemem objął dziesięć procent narodu. Putin systemem objął jeden procent narodu. I to jest fundamentalna różnica. Dlatego w momencie napięć Putin nie jest pewny swojej struktury. Jest takie powiedzenie, że władza Putina się kończy na Sadowym Kolcu. Łukaszenka rządzi w Witebsku. Jeżeli w Witebsku ludzie robią demonstracje, to nawet niskiej rangi milicjanci wychodzą z pałami, żeby ich pałować. W Rosji jak w Krasnodarze wybuchają demonstracje, okazuje się, że nikt nie jest zainteresowany spałowaniem tej demonstracji, bo ci niżsi rangą w ramach systemu nie za bardzo mają powód, by go bronić. Słowem Putin wprowadził turbomafijny kapitalizm państwowy, a Łukaszenka wprowadził turbomafijny socjalizm państwowy.

HG: I to nas płynnie prowadzi do odpowiedzi, po co w Rosji jest strach.

WJ: No tak, tyle że Łukaszenka też rządzi już za pomocą strachu.

HG: Ale on rządzi za pomocą strachu, gdy ma przeciw sobie pięćdziesiąt albo i więcej procent narodu, a Putin musi uciekać się do represji, mając przeciw sobie pewnie dziesięć procent.

WJ: To nas przybliża do diagnozy czołowego rosyjskiego politologa i komentatora Władimira Pastuchowa, który twierdzi, że wojna w Ukrainie była tyleż wynikiem neoimperialnego projektu, co i metodą wzięcia narodu za twarz, bo tylko w warunkach wojny można było przekształcić Rosję w państwo stanu wyjątkowego. Tyle że to nadal nie tłumaczy do końca zła. Nie tłumaczy obojętności na zbrodnie. Na ludobójstwo. Na Buczę.

HG: Nie mam pewności, czy jesteśmy w stanie o Buczy powiedzieć coś, czego już przed nami mądrzej nie powiedziano.

WJ: Bo się okaże, że szukamy jakiejś głębi, bo nie chcemy uwierzyć, że takie zło może żadnej głębi nie mieć. Ot, wymordowano kilkaset czy kilka tysięcy ludzi. I tyle, bo taka tradycja, bo była taka potrzeba. I jakkolwiek byśmy szukali, to na końcu znajdziemy banalność zła.

Państwo jako mafia

WJ: Lata dziewięćdziesiąte w Rosji to wszechwładza bandyterki, a czasem wręcz mafii. No i przyszedł Putin i mafię pokonał. Tylko czy aby na pewno? Pytam, bo są w zasadzie dwie metody zwalczania mafii. To znaczy można ją zwalczać albo można z niej uczynić państwo. Otóż putinizm w mojej ocenie to nie było pokonanie mafii. Putinizm to było zastąpienie dotychczasowej mafii własną mafią, która – żeby było jeszcze straszliwiej – zlała się w jedną całość z państwem. Wydaje mi się, że dlatego w Rosji w ogóle nie można mówić o mafii. Dlatego że mafia to jest pojęcie, które zakłada, że istnieje tylko pod warunkiem, że po drugiej stronie jest antymafia, czyli państwo. Otóż w Rosji nie ma takiego podziału, w Rosji przestępcy i sędziowie, przestępcy i prokuratorzy, przestępcy i służby to jest to samo. To się zlało. Ale to powoduje pewną istotną zmianę, która odróżnia tak rozumianą mafię od mafii w tym klasycznym rozumieniu. Mafia otóż, co do zasady, odbiera wszystko i jeszcze zabija. Rosyjska mafia, w tym współczesnym jej rozumieniu, w tym putinowskim, ta kagiebowska czy mówiąc z rosyjska „kagiebeszna" mafia przychodzi i odbiera, ale nie za darmo, a za pół ceny. To oznacza, że ten, komu odebrano, pozostaje bogatym człowiekiem, tylko nie jest już właścicielem firmy. Ale nie jest wyzerowany, więc on się z tym godzi, bo to nie jest takie straszne. Po prostu przyszedł domiar. I to powoduje, że tam się bardzo niewielu ludzi buntowało. Zirytował się Bill Browder, amerykański inwestor. Ale to, co chciano zrobić Browderowi, czyli odebrać mu biznes za pomocą różnych prokuratorsko-sądowych sztuczek i tak dalej, trafiło po prostu na Amerykanina, który nie rozumiał, że tak wygląda schemat, że to jest normalne. Rosyjscy biznesmeni to akceptowali.

HG: Nie zapominajmy jednak, jak wyglądały realia lat dziewięćdziesiątych. To było tak, że wieczorami bywało po prostu niebezpiecznie na ulicy. Nie jest też tak, że klasyczne struktury mafijne przestały istnieć. One nadal, niezależnie od wszechwładzy policji i służb, są silne. Pamiętam skądinąd taką historię z Petersburga, gdzie poznałem dziekana elitarnego wydziału Uniwersytetu Petersburskiego. Nie mogłem zrozumieć, skąd się bierze jego duży autorytet. Uczony żaden, dorobku żadnego, a wszyscy go bardzo szanowali.

Zostałem zaproszony na rozmowę do niego, taka rozmowa o współpracy. Bardzo przytomny dżentelmen, ale dalej żaden uczony, żaden dziekan, żaden profesor, żaden akademik. Potem jestem na promocji pewnej książki, gdzie przychodzi jeden z pracowników uniwersytetu, prywatnie szef mafii abchaskiej w mieście. No więc spytałem go o to. A on mówi: „No dobrze, to ja panu powiem, to jest bardzo poważny, zasłużony i godny szacunku człowiek, on jest gwarantem, że w Petersburgu nie wybuchnie ani jedna bomba czeczeńska". Mówię: „Słucham?". „Żadna bomba kaukaska". Pytam dlaczego. A on: „Bo to jest »sędzia pokoju«. On rozstrzyga wszystkie sporne sprawy między organizacjami bandyckimi". Scena autentyczna. Wyobraź sobie uniwersytet, gdzie taki sędzia pokoju jest dziekanem jednego wydziału, a dziekanem drugiego wydziału jest wspaniały ekonomista Aleksiej Kudrin. A na wydziale prawa wykłada szef komitetu śledczego, czyli Bastrykin. Wyobraź sobie, jak oni wyglądali obok siebie: siedzi mały taki, dobrze zasuszony, bo on był starszym człowiekiem, Kaukaziec będący „autorytetem", obok wspomniany szef mafii abchaskiej i do kompletu absolutny Europejczyk, inteligent w porządnych paryskich garniturach. I masz naradę w rektoracie. Po prostu, jak mówił klasyk gatunku: Boże, jak wielka jest twoja menażeria...

WJ: No tak, ale ty opowiadasz o czasach, gdy system nie był jeszcze domknięty, bo opowiadasz w gruncie rzeczy o pewnej różnorodności. A teraz każdy jest na służbie, sędzia nie jest sędzią, prokurator nie jest prokuratorem, trybunał nie jest trybunałem, obrońca nie jest obrońcą, media nie są mediami. Po prostu wszystko jest w łapach jednej ekipy, wszystko jest po prostu… Może inaczej to ujmę. Powstał w Polsce taki film *Układ zamknięty*, przy oglądaniu którego ciarki po plecach przechodziły, tylko że on opowiadał o wycinku rzeczywistości w Polsce, a w Rosji *Układ zamknięty* byłby filmem o całym państwie. Nie masz wrażenia, że niektóre chwyty stosowane przez Putina były niczym te, które znamy z *Chłopców z ferajny*?

HG: No to było celowe zapożyczanie wzorców, żeby pokazywać się jako twardziel.

WJ: Tu by trzeba wspomnieć słynny incydent z psem i kanclerz Niemiec. Otóż Angela Merkel została w dzieciństwie pogryziona przez psa i się od tego czasu boi psów. W związku z tym, kiedy jechała do Soczi spotkać się z Putinem, ambasada Niemiec przekazała Rosjanom, że bardzo proszą, żeby Putin trzymał z dala od pani kanclerz swojego labradora. Ten psiak wabił się Koni. Co zrobił Putin? Mianowicie w chwili, w której wchodzi Angela Merkel, nagle uchylają się drzwi, czyli pies jest celowo wpuszczony. Pies biegnie do Putina, ten go głaszcze i mówi: „Przywitaj się z panią kanclerz".

HG: Berlusconiemu takich powitań Putin nie robił.

WJ: No patrz. I ciekawe czemu. Jak wieść gminna głosiła, organizował mu dla odmiany bardzo sympatyczne imprezy. Bez psów.

Życie obyczajowe Kremla

WJ: Jest taki image w Polsce bogatych Rosjan, że są wulgarni, że się rzucają w oczy, ubierają się w taki krzykliwy sposób. Nie wiem, jak było w latach dziewięćdziesiątych.

HG: Było mało elegancko.

WJ: OK, wierzę ci, ale już w latach dwutysięcznych Rosjanie są tak ubrani, że polska elita nie dorasta im do pięt. Nasza elita finansowa czasem kupuje garnitur u Zegny, a rosyjska elita zamawia krawca od Zegny, który do nich przylatuje do Moskwy i im szyje. Czyli zmieniły się obyczaje alkoholowe, zmieniły się stroje, czy też szerzej – bo stroje to przecież tylko fragment tej przemiany – nowa elita się wyrobiła. Czy jest coś, co się nie zmieniło?

HG: Tak. Po pierwsze niezmienna jest patologiczna wręcz homofobia.

WJ: Europa to „gejropa", a NATO to „pidarasy".

HG: No i druga rzecz. Znikoma rola kobiet. Proszę, zwróć uwagę, ile przez trzydzieści lat kobiet się pojawiło w rosyjskiej polityce. W tej chwili jedną jedyną wpływową w kręgach rządowych osobą jest szefowa banku centralnego Elwira Nabiullina, jedyną wpływową osobą w parlamencie jest Walentyna Matwijenko, która była w swoim życiu parokrotnie ambasadorem, pełnomocnikiem prezydenta w Petersburgu. I na tym się lista kończy.

WJ: A nie jest tak, że w Rosji mamy w istocie przemieszanie totalnego patriarchatu z totalnym matriarchatem? W polityce kobiet prawie nie ma, za to w domu rządzi wyłącznie kobieta, a mężczyzna nie ma nic do gadania. A przyczyna jest bardzo prosta. Mianowicie, tam nastąpiły trzy wielkie rzezie mężczyzn, pierwsza zaraz po 1917 roku, potem w latach 1936–1937 i kolejna w czasie wojny. W efekcie proporcja mężczyzn i kobiet jest absolutnie zaburzona. Co gorsza, ci mężczyźni, którzy przeżyli, mieli po pierwsze poważny problem z alkoholem, a dodatkowo był taki moment, bodaj w latach pięćdziesiątych, że co piąty mężczyzna był byłym więźniem. I to spowodowało, że tak naprawdę Rosja to jest świat kobiet. To one rządzą w domach, w życiu prywatnym.

HG: W jakimś stopniu tak, ale zaznaczmy, żeby nie było tu nieporozumienia, że stalinowski i wcześniejszy leninowski terror dotykał też kobiet. Mogę się zgodzić, że historia wzmocniła kobiety w życiu domowym, ale nie zmieniła jednak ich postrzegania. Kobieta, tak jak to widzą rosyjscy mężczyźni, ale też, powiedzmy szczerze, również i część samych kobiet, ustępuje mężczyznom nie tylko siłą fizyczną, ale również intelektem. Kobieta w rosyjskim modelu świata, który jest patriarchalny i mizoginiczny, ma do wypełnienia określone funkcje, powiedziałbym, domowo-kulinarno-fizjologiczne i na tym się jej rola kończy. A, jeszcze ma rodzić dzieci, bo to jest bardzo ważna funkcja, bo ciągle walczymy, potrzebne jest mięso armatnie i jest ta słynna fraza stalinowska, że „baby znowu urodzą nam kolejnych żołnierzy".

WJ: Jeśli rozmawiamy o kobietach, to jak się prezentowała Ludmiła Putin jako pierwsza dama?

HG: Do któregoś momentu ani dobrze, ani źle. Potem się niestety zaczęły u niej problemy z alkoholem. Piła strasznie. Opadała jej powieka, opadały wargi. Pamiętam, jak Ludmiłę podczas jakiejś imprezy prawie pod łokcie odprowadzano, na dodatek złamała obcas w szpilkach. Jeszcze na obchodach w czasie jubileuszu trzystulecia Petersburga bardzo dobrze się trzymała. A gdzieś od 2005 zaczęła się opuszczać. Już miała taki obrzęk alkoholowy na twarzy, już było widać, że jest duży problem. Putin żonę raczej chował do kuchni czy za szafę. Zwróć uwagę, że Ludmiła, poza wyjazdami zagranicznymi, tak naprawdę pokazywała się na Wielkanoc i Boże Narodzenie w tej chusteczce w cerkwi. Miała dość ograniczone funkcje. Patronowali jakimś tam konkursom języka czy wręczaniu nagród uczniom. Nawiasem mówiąc, jak ją gdzieś tam wysyłano, to miejscowi gubernatorzy dostawali instrukcję, żeby ją trzymać z daleka od alkoholu. I nie daj Boże, gdyby nie dopilnowali.

WJ: A mówiliśmy, że elity rosyjskie już nie piją.

HG: Wyjątek wśród niepijących polityków stanowią właśnie kobiety. Wszystkie, które znałem, piły i to jak! A Tierieszkowa jak piła! Pokolenie Tierieszkowej, ale również pokolenie Matwijenko to jest pokolenie, gdzie publiczne picie było rzeczą wpisaną w rytuał partyjny i towarzyski. Matwijenko piła, bo lubiła i mogła. Ona już w czasach komsomolskich nosiła przydomek „Wala-stakan". Ja przeżyłem z nią parę oficjalnych (!) okazji i to były duże wyzwania, muszę powiedzieć, naprawdę duże. Ja jestem człowiekiem wyjątkowo odpornym na alkohol, mam to zapewnione genetycznie, a poza tym gabaryty mnie ratują, ale to po prostu było ciężkie wyzwanie. Ona taka solidna baba, „dziewuszka taka zdrowa", ale było takich parę innych, na przykład najpiękniejsza kobieta ministerstwa kultury, wiceminister Ałła Maniłowa, która kiedyś tłumaczyła nam wylewnie po paru butelkach, że jest taką urodziwą kobietą, bo ma polską krew. Było takich jeszcze parę w tym środowisku. Osobą, która zapłaciła za to, bo przekroczyła granicę, była jedyna kobieta w polityce radzieckiej, czyli członek prezydium KPZR i minister kultury Furcewa, której przypisywano, że była kochanką Chruszczowa. Ona ewidentnie stała się alkoholiczką i to kosztowało ją dalszą karierę. Mało tego, proszę zobaczyć losy poszczególnych żon dygnitarzy epoki stalinowskiej. Spora część z nich po prostu piła. Trudno się dziwić. Pewnie na ich miejscu też byśmy pili. Historia z samobójstwem żony Stalina – wygląda na to, że stało się to po alkoholu.

WJ: Samobójstwem, po którym – to warto zaznaczyć – Stalin miał powiedzieć, że żona, zabijając się, zdradziła go. A jaką rolę odgrywała Swietłana Miedwiediewa? Poza tym oczywiście, że w tej parze to on akurat pije, a nie ona.

HG: Żona Miedwiediewa była osobą, która uwierzyła w to, że będzie drugą Raisą Gorbaczową. Na tle Ludmiły Putiny była elegancka, władająca jakoś tam językami. Ludmiła nawet mężowi te barszcze gotując w Lipsku, niemieckiego porządnie się nie nauczyła. Żona Miedwiediewa demonstrowała zainteresowanie sztuką, chodziła do teatru itd. Odegrała też dużą rolę w zachwianiu się Miedwiediewa w lojalności wobec Putina. Bo nie ulega wątpliwości, że kiedy Miedwiediew zaczynał urzędowanie jako prezydent, nie tylko był lojalny, ale miał świadomość czasowości swojego urzędowania. A w połowie tego urzędowania coś zaczyna się dziać. On polubił być prezydentem, ona polubiła być prezydentową i wyraźnie go w tym kierunku popychała. Wielu doradców Miedwiediewa to byli ludzie w jakiś sposób również zadomowieni w kręgu jego żony. Poza tym, tak jak Raisa, potrafiła mężowi wygarnąć w oczy i to nawet publicznie. Równocześnie ocieplała jego wizerunek. Europejska żona przy kreującym się na światowca prezydencie, wyglądająca dobrze, zwłaszcza że dookoła były takie babochłopy, jak Matwijenko czy Mizulina.

WJ: Czy nie było ani jednego momentu, gdy kobieta mogła sięgnąć po władzę?

HG: W pewnym momencie, żeby ocieplić wizerunek i zamieszać, zatrzeć ślady, otoczenie Putina puściło pogłoskę, że jego następcą będzie kobieta. Przekonywano, że będzie kandydować na prezydenta Federacji Rosyjskiej właśnie Matwijenko. Walentyna aż się napiła z radości, uwierzyła, że ma szansę, i niestety wierzyła parę tygodni, nie wychodząc z ciągu alkoholowego. Jak się wreszcie obudziła, to się okazało, że kandydatem namaszczonym jest Miedwiediew. I przyszedł wicegubernator jej o tym powiedzieć: „Walentino Iwanowna, no gospodarz zdecydował, Dmitrij Anatoljewicz będzie naszym kandydatem". Matwijenko najpierw dostała ataku histerycznego śmiechu, bo myślała, że sobie z niej żartują, po czym wściekła zaczęła krzyczeć: „Ten kurdupel?". Działo to się przy otwartych drzwiach. Jak zrozumiała, że to prawda, podobno rzuciła karafką w ścianę. To się rozeszło i później to było absolutnie jasne, że ich nie wolno trzymać w jednym układzie władzy. Do rządu przy Miedwiediewie nie można było jej wziąć. Więc danie jej stanowiska szefa wyższej izby parlamentu było oczywistą złośliwością Putina wobec Miedwiediewa.

WJ: Ciekawe jest, jak Rosjanie traktują kobiety obecne w zachodniej polityce. Mogę opowiedzieć dowcip, który, jak opowiadali mi koledzy z przedstawicielstwa UE w Moskwie, Ławrow opowiedział Catherine Ashton, czyli Wysokiej Przedstawiciel Unii Europejskiej do Spraw Zagranicznych i Polityki Bezpieczeństwa. Poziom pogardy Rosjan wobec niej był niebywały. Ławrow spytał otóż panią Ashton, czy ona wie, jak wyglądają relacje pomiędzy Rosją, Białorusią i Ukrainą, a następnie powiedział, że proszę sobie wyobrazić orgię, podczas której Władimir Władimirowicz siedzi na tronie, Julia Tymoszenko zaspokaja go oralnie, a z tyłu jest Aleksandr Łukaszenka. I Aleksandr Łukaszenka po pół godziny spocony mówi: „Bardzo się, Władimirze Władimirowiczu, zmęczyłem, może zamieńmy się miejscami", na co Putin odpowiada: „Zamieniajcie się". Czy ty sobie w ogóle wyobrażasz, żeby na tym szczeblu kobiecie taki dowcip opowiedzieć?! To był zresztą stały trik. Opowiadanie najbardziej seksistowskich, rasistowskich, pogardliwych dowcipów.

HG: Nie jestem zupełnie tym zdziwiony. Kontynuując wątek kobiet, wydaje mi się, że w całej rosyjskiej polityce jest tylko jedna, która jest traktowana tak do końca na serio i z szacunkiem, czyli szefowa banku centralnego Elwira Nabiullina. Niewątpliwe jedna z najzdolniejszych szefowych i szefów banku centralnego w ogóle na całym świecie. Wielu przypisuje właśnie jej to, że Rosja mimo sankcji jest w stanie w zasadzie bez szczególnych wstrząsów przechodzić gospodarczo czas wojny.

WJ: Znam jedną, wiele mówiącą, anegdotę na jej temat. To jest anegdota z czasów, gdy była członkiem rządu i negocjowała kupno koncernu energetycznego w jednym z krajów południowej Europy. W trakcie negocjacji była przerwa na lunch. Po przerwie Nabiullina pyta swojego interlokutora, czy smakował mu lunch, a gdy słyszy to samo pytanie, odpowiada, że sama nie zdążyła zjeść, bo wpadł do niej jej mąż i zajęli się miłością. To spowodowało, że druga strona nie była w stanie skupić się na negocjacjach przez kolejną godzinę, a pani minister miała jeszcze celowo rozpięty guziczek w bluzce. I ten rozpięty guziczek to takie typowo rosyjskie zagranie, to jest coś, czego zapewne nie zrozumieją zachodnioeuropejskie i amerykańskie feministki, mianowicie, że to nie jest w Rosji traktowane jako dowód podporządkowania kobiety mężczyźnie, tylko jako dowód siły kobiety.

HG: Zwróć jeszcze uwagę na to, że poza prezydentami wygląda na to, że nikt w Rosji nie ma żony. Żony po prostu w publicznym odbiorze nie występują. Żony pojawiają się jedynie wtedy, jak na stół się kładzie kolejne zeznanie podatkowe i nagle się okazuje, że istnieją żony, które mają jakiś solidny pakiet. W przestrzeni publicznej bardziej niż żony funkcjonują dzieci. Dzieciom się przyglądamy, bo albo dzieci to mężczyźni i są przez niektórych ojców przymierzani do sukcesji w polityce. Patruszew kiedyś wnioskował, żeby stworzyć nową szlachtę. My tu jesteśmy tyle czasu u władzy, stworzyliśmy takie zaplecze dla państwa, że Rosję stać na to, żeby mieć szlachtę. Nasze dzieci będą nową szlachtą. Jak Patruszew zaczął to głosić, to nawet Putin się złapał za głowę. Natomiast córki i wnuczki są oglądane przede wszystkim przez pryzmat nieruchomości, posiadłości i majątku za granicą. Był taki moment, że z dużym zdumieniem konstatowano, że dzieci sporej części establishmentu kształcą się poza

Rosją, więc pytanie, dlaczego mamy się dziwić, że tak niski jest poziom edukacji rosyjskiej, że w rankingu szanghajskim stoi tak nisko, jeżeli sami oddajemy dzieci na różne Oksfordy, Cambridge i tak dalej. Zresztą myślę, że nie ma elity władzy, nie ma ani jednego rządu na świecie, którego członkowie mieliby taką liczbę jawnych i ukrytych podwójnych obywatelstw. Najbliższy ekonomiczny w tej chwili współpracownik Putina, czyli German Gref, ma obywatelstwo niemieckie. Spora część oligarchów i osób z otoczenia władzy ma obywatelstwo izraelskie. Są ludzie mający obywatelstwa cypryjskie.

WJ: Dziś to już brzmi podejrzanie.

HG: Owszem, to zaczyna im szkodzić, bo to znaczy, że oni się przygotowują albo na ewakuację, albo nie są lojalni wobec państwa. Dlatego też jak poszły pierwsze, drugie, trzecie pakiety sankcji i uderzenie w poszczególne osoby, to o ile sankcje bijące w państwo były oczywiście jak najgorzej odebrane przez społeczeństwo, zarazem uderzenie w elity nie powodowało oburzenia Rosjan. Bogacz, jak wierzą Rosjanie, to jest złodziej albo syn złodzieja. Niewielu ludziom z elity udało się przerwać pierścień pretensji do siebie. Udało się na przykład Abramowiczowi dzięki temu, że jak był gubernatorem Czukotki, to inwestował tam własne pieniądze i to mu zapewniło szacunek obywateli, no bo oto jednak bywają tacy uczciwi złodzieje, jak ten, który nam jednak trochę oddał.

WJ: Mówimy cały czas o Kremlu, to wspomnijmy, jak Kreml wygląda.

HG: Kreml to są dekoracje. Większa część polityki odbywa się nie na Kremlu, genius loci zapewne powoduje, że poszczególni szefowie państwa boją się stale przebywać na Kremlu. Spora część polityki odbywa się na daczach. Na daczach państwowych, gdzie w zależności od potrzeby wzywa się członków biura politycznego albo szefów poszczególnych resortów i tak dalej, albo wielką radę wojenną itd. Spotkania tam odbywają się w wąskim i wyłącznie męskim towarzystwie. Kreml, poza wszystkim innym, jest jak jedna wielka patelnia, a rosyjska tradycja polityczna zakłada dużą ilość konfidencjonalnych rozmów, spotkań, do łaźni pójdziemy i tak dalej. I naprawdę niekoniecznie po to, żeby się napić. Na polowanie wyjdziemy, bo akurat dzięcioł jest bez słuchawek i magnetofonu.

WJ: Putin pracuje na Kremlu?

HG: Putin znany jest z tego, że jest raczej leniwy i mało pracuje. To nie jest pracuś typu Stalin, który od rana do nocy ślęczy nad dokumentami. Putin, jeszcze przed pandemią, bardzo często pracował w domu w Nowo-Ogariowie, czyli w swojej rezydencji.

WJ: Jak wiadomo, już Lenin powiedział, że kino jest najważniejszą ze sztuk. Za czasów Putina władza obiektywnie była mecenasem kultury, przy czym kultura traktowana była oczywiście całkowicie utylitarnie. Jako metoda prania pieniędzy, kultura niska jako metoda ogłupiania ludzi, a kultura wysoka, którą sprzedawano na Zachód, jako metoda nabierania wszelkiej maści naiwnych Niemców i Francuzów, że Rosja to jest balet, Puszkin i Czajkowski, a nie Kadyrow, Żyrinowski i Szojgu.

HG: Rzeczywiście usiłowali stworzyć wrażenie takiego właśnie dworu oświeconego, mecenatu nad kulturą, popierania różnych przedsięwzięć. Putin był w pewnym momencie bardzo w to zaangażowany. Na przykład żeby pokazać, jak jest zainteresowany kulturą, wydawał co jakiś czas polecenia oligarchom i oligarchowie kupowali obrazy, które potem trafiały do Ermitażu.

WJ: Sport też był narzędziem?

HG: Putin, przynajmniej tak długo, jak był całkowicie sprawny fizycznie, wprowadził pewien sznyt – było w dobrym tonie, że ważne osobistości z państwa szefowały poszczególnym federacjom sportowym. Mało który rząd i która elita na świecie tak mocno inwestowała w sport jako wizytówkę, stąd ta wielka katastrofa z dopingiem. Kiedy rząd złożony z samych służb angażuje się we wspieranie sportu, który na dokładkę ma wszędzie i zawsze wygrywać, to się musi źle skończyć. Putin, po swoim doświadczeniu NRD--owskim, gdzie cały sport NRD-owski stał na farmakologii, miał chyba taką właśnie wizję sportu. Krótko mówiąc, sport ojczysty został posadzony na igły. Ich tam szprycowano straszliwie. Ten sport stawał się w momentach zaognienia kontaktu ze światem dodatkowym polem konfrontacji. Przecież to słynne zdanie: „Rosja powstaje z kolan", to jest zdanie po raz pierwszy wygłoszone właśnie z okazji wydarzenia sportowego. Putin to powiedział po wygranym meczu z Holandią na piłkarskich mistrzostwach Europy w 2008 roku. Nie przewidział, że zaraz potem będzie mecz półfinałowy z Hiszpanią, gdzie Rosja padnie na kolana (0:3).

WJ: Moskwa, którą obydwaj znamy, jest miastem niezliczonej ilości przyjęć, bankietów, rautów. Równocześnie jednak mam takie wrażenie, choć oczywiście to jest bardziej wrażenie niż doświadczenie, najściślejsza elita władzy funkcjonowała poza obiegiem imprezowo-weekendowo-rautowym. Oni się czasem gdzieś pojawiali, ale z rzadka. Ja akurat to życie towarzyskie śledziłem dość intensywnie, bo wydawało mi się, że jako dyplomata z zupełnie oczywistych powodów powinienem. Oni się czasem pojawiali w teatrze Bolszoj.

HG: Jeżeli Putin się pojawiał, to zawsze było wiadomo, że się pojawi, bo telefony przestawały nagle działać.

WJ: Jak jechała kolumna z Władimirem Władimirowiczem, to też było wiadomo, że to on jedzie, bo przed nim jechały terenowe samochody z takim specyficznym jakby orurowaniem na górze – tak naprawdę to były bardzo silne nadajniki, które są zagłuszarkami uniemożliwiającymi zdalne odpalenie bomby.

Pieniądze

WJ: Wiele się mówi o pieniądzach elity. Pieniądze to jednak nie tylko gotówka.

HG: Oni bardzo długo w ogóle nie wierzyli w stabilność pieniądza. Ponieważ zawalił się rubel, który rzekomo był tak mocną walutą, że w pewnym momencie elita radziecka twierdziła, że jeden rubel transferowy jest wart trzy dolary, to oni z rozpędu przestali w pewnym momencie wierzyć w dolary. W co wierzyli? Niektórzy wierzyli w ziemię, niektórzy do dzisiaj wierzą w ziemię. Na przykład mało wiemy o majątku przewodniczącego parlamentu Wołodina, wiemy o różnych akcjonariuszach, posiadających pakiety banków i tak dalej. A piętnaście lat temu rozmawiałem z człowiekiem niesłychanie dobrze poinformowanym i on użył wobec niego pojęcia „obszarnik". Pytam się dlaczego. A on mówi: „A ten to nawet w złoto nie wierzy, on tylko ziemię skupuje, bo wymyślił, że jak wykupi wszystko dookoła Bajkału, to po pierwsze, będzie miał ekologiczną ziemię, po drugie, nie będzie można puścić żadnej rury przez Bajkał, bo wszystko będzie szło przez jego terytorium". Jak jeździłem do Buriacji, prowadziłem tam wykłady, to dokładnie pokazywano, które fragmenty dostępu do Bajkału należą do Wołodina i osób z nim związanych.

WJ: Nie masz wrażenia, że powszechne w Rosji przeświadczenie, że „jelcynowscy" kradli więcej niż „putinowscy", choć jest dokładnie na odwrót, bierze się, poza zabiegami propagandystów, z dwóch jeszcze źródeł. Po pierwsze, w oczy rzuca się bogactwo piosenkarza, piłkarza albo modelki, która sobie kupi ferrari, zaparkuje przed klubem w centrum miasta. Bogactwo miliarderów zazwyczaj się nie rzuca w oczy. Bogactwo epoki ekipy jelcynowskiej się rzucało, dlatego że oni nagle po tej sowieckiej nędzy kupili sobie mercedesy 600, jeździli nimi po centrum i się popisywali. Ekipa putinowska nie zajmowała się kupowaniem sobie mercedesów, tylko kupowaniem sobie jachtów pełnomorskich, których nikt nigdy nie widzi poza jakimiś portami na Karaibach.

Po drugie – ja bardzo regularnie jeździłem na Rublowkę i, owszem, widziałem samochody luksusowe, ale nigdy nie widziałem domów. Willa rosyjskiego oligarchy nie stoi jak u nas przy ulicy. Ona jest otoczona kilkusetmetrowym lasem i płotem wysokim na trzy metry. O ile się nie było zaproszonym, nie było nic widać.

No i trzeci, chyba kluczowy element, czyli kontekst. Bogactwo epoki Jelcyna miało w tle nędzę tej samej epoki. Za Putina tłem było realne bogactwo. Michaił Fridman w którymś momencie wydał kilkadziesiąt milionów dolarów na badanie, czy w kosmosie człowiek starzeje się wolniej. Bo się bał, że umrze, w związku z tym wymyślił, że zbuduje sobie stację kosmiczną i się przeniesie w kosmos. To jest ta skala korzystania z bogactwa. Usmanow nie lubi zimy, w związku z tym miał dwie wille, jedną w Miami, drugą w Moskwie. One były identyczne. Jak się przenosił, a przenosił się co pół roku, firma przeprowadzkowa robiła tak, że jak on w moskiewskiej willi zostawił zegarek tak na stole, a tak cukiernicę, to oni mu w willi w Miami identycznie kładli zegarek i cukiernicę. W ten sposób przenosili mu absolutnie wszystko.

Pamiętam, że private banking oferowano w Rosji od miliona dolarów gotówki i było, jak oceniano, dwadzieścia, trzydzieści tysięcy potencjalnych klientów. To, a nie stu czy dwustu miliarderów, miało znaczenie. U nas był wówczas poseł, który chciał mieć mercedesa z firankami, i ten mercedes szokował. A po Moskwie takich mercedesów jeździło kilkanaście tysięcy. W Moskwie nawet już bentley nie był samochodem prestiżowym. Po Moskwie jeździ ich jakieś pięć, sześć tysięcy. Bentley był samochodem, który mężczyźni dawali na odchodnym swoim kochankom. To był taki standardowy prezent na pożegnanie. Mieszkanie i bentley. Albo mieszkanie i maserati.

HG: Oczywiście, że ekipa putinowska nakradła znacznie więcej, ale też chyba naród miał przekonanie, że oni mieli prawo. To jest skądinąd głęboko schizofreniczne, bo z jednej strony każdy człowiek bogaty może liczyć z tego tytułu na niechęć społeczną, a zarazem to samo społeczeństwo uważa, że wolno kraść. Myślę, że dlatego że to jest naród nadal głodny dobrobytu, a poza tym niemogący też potępiać czynów amoralnych, bo sam w nie, tyle że w innej skali, jest zaangażowany.

WJ: Poza tym to jak u Gogola, czyli „wszyscy potępiamy złodziei, o ile nie mamy zaszczytu znać ich osobiście".

HG: Cudowna fraza. Skoro o bogactwie mowa, to pamiętasz na pewno wyśmienite moskiewskie restauracje.

WJ: Do dziś pamiętam smak dań. Miałem ustalone z szefem, że jak idę na lunch, to w ramach budżetu MSZ-owskiego mogłem wydać do stu, stu pięćdziesięciu euro na lunch, bez alkoholu.

Później, jak trafiłem do Polski, miałem zaburzone poczucie wartości pieniędzy, bo dla mnie zostawienie tysiąca złotych na lunch było czymś zupełnie normalnym po prostu. Oczywiście, to nie było robione bez sensu, tylko do tego zawsze był potem szyfrogram.

Opozycja

WJ: Ostatni wątek, który chciałbym poruszyć w tej części naszej rozmowy, to kwestia opozycji. Czy w ogóle w Rosji można mówić o opozycji, czy raczej o ruchu dysydenckim? Oni nie mają struktury, nie mają mediów, nie mają bazy, nie mają pieniędzy, nie mają organizacji, nie mają nic po prostu. I wreszcie na koniec to jest nadal niemal wyłącznie inteligenckie środowisko. Tam nie ma robotników.

HG: Ja bym powiedział, że Kreml w pewnym momencie już chciał wyprodukować sobie normalną opozycję, bo miał świadomość, no niech mi duch Borysa Niemcowa wybaczy, tak naprawdę straszliwej atomizacji i postępującej degrengolady opozycji rosyjskiej. Ja naprawdę pamiętam wiece, na które opozycja potrafiła wyprowadzić nie sto tysięcy, tylko milion osób. Oczywiście, to nigdy se ne vrati z różnych względów, nawet czysto technologicznych. Nie chodzi tylko o ogłupienie społeczeństwa. Internet w zasadzie zlikwidował możliwość organizacji wielkich manifestacji w warunkach rosyjskich. Bo manifestujemy, oglądając to na ekranie po prostu. To już bywa aktem nieposłuszeństwa, że się ogląda ten, a nie inny program telewizyjny. Natomiast kiedyś, kiedy były trzy programy telewizyjne, to się wychodziło na ulice. Ja pamiętam, jak na placu Maneżowym brat Czubajsa, całkowicie z nim skądinąd skłócony, Igor Czubajs, prowadził wiec, na który przyszło prawie milion protestujących. To robiło wrażenie. A teraz nie można sobie w ogóle wyobrazić, żeby w całej Rosji zebrać milion osób, które by stworzyły taką strukturę sieciową.

WJ: Zawsze, gdy mowa jest o opozycji, pojawia się wątek agenturalnych powiązań.

HG: Częściowo wysiłek stworzenia normalnej opozycji był oczywiście na eksport, aby przekonać do siebie Zachód. No bo zamordowano Galinę Starowojtową, potem Annę Politkowską i trzeba było pokazać światu tę lepszą, cywilizowaną twarz. Tyle że opozycja była już rozbita.

WJ: A ona sama siebie nie rozbijała?

HG: Ależ oczywiście. Przecież jak pojawił się Nawalny i zaczęło mu dobrze iść, to pierwsza reakcja starej opozycji była taka, że jemu się udaje, bo jest to projekt kremlowski. Najzabawniejsze jest to, że istnieją bardzo poważne przesłanki, że nie była to do końca nieprawda, przynajmniej wobec części jego zaplecza.

WJ: Nigdy nie mogłem zrozumieć skądinąd naszej polskiej fascynacji Nawalnym. Dla mnie ta fascynacja wynika z pewnego zupełnie fundamentalnego błędu polskiej polityki zagranicznej, a wschodniej w szczególności. Adam Michnik kiedyś stworzył pojęcie i uwielbiał się nim posługiwać, a mianowicie pojęcie antysowieckiego rusofila. Tyle że są w tym określeniu dwa absolutnie fundamentalne błędy. Mianowicie nie ma fundamentalnej różnicy między Sowietami a Rosjanami. I to jest pierwszy błąd. I drugi błąd, nie wolno być otóż w polityce zagranicznej ani „filem", ani „fobem". Michnik, przy wszystkich jego zasługach, zamiast opisywać rzeczywistość, chce ją zawsze kreować. Problem polega na tym, że kreować rzeczywistość w polityce zagranicznej można, najpierw diagnozując ją. Nie można na etapie diagnozy tworzyć kreacji. Otóż stwierdzenie „antysowiecki rusofil" zdradza chęć kreacji na etapie diagnozy.

HG: Nazwisko Adama Michnika jest ważniejsze w naszej polityce wschodniej, niż wielu sądzi.

WJ: Jego i Adama Daniela Rotfelda. Ideowo to oni stworzyli reset z Rosją. Pamiętam wizytę pp. Michnika i Rotfedla w Moskwie. Myśmy w Wydziale Politycznym w ogóle nie rozumieli, co oni robią, bo obydwaj spotykali się w Moskwie z jakimiś politycznymi „nołnejmami", z ludźmi...

HG: ...których znali sprzed dwudziestu i trzydziestu lat. Załatwiłem skądinąd Adamowi Michnikowi spotkanie z ludźmi z innych środowisk. W rozmowie z przedstawicielem środowiska kremlowskiego padła niezbyt zawoalowana propozycja podziału Ukrainy i Białorusi. Nasz interlokutor powiedział także, że „Polacy są jedynym obok Rosjan narodem obdarzonym genem mocarstwowości. My to szanujemy i cenimy. I w zasadzie, jeżeli mamy porządkować Europę Wschodnią, to rozumiemy, że możemy to robić wspólnie". Byłem z siebie bardzo kontent, bo Michnik otworzył oczy jak dziecko, dałem mu takiego rozmówcę, który mu wprost tego typu treści komunikował. I pamiętam, jak wychodzimy z knajpy, a Michnik mówi: „Kurwa, jaki inteligentny, i kurwa, jaki niebezpieczny".

Ja mówię na to: „Bo tak wygląda rzeczywistość kremlowska".

WJ: Szkoda, że tej rzeczywistości nie przyjęto do wiadomości. Wróćmy jednak do Nawalnego. Wiemy o tym, co mówił na temat „czarnych", czyli mieszkańców Kaukazu. On regularnie zahaczał o faszyzujące frazy, obelżywe określenia etniczne. Ja nie chcę powiedzieć, że on nadal głosi te poglądy i że nadal je ma, bo wpadłbym w prymitywny pisizm, wedle którego ludzie nie są w stanie się zmieniać. Ale z Nawalnym jest, w mojej ocenie, jeszcze jeden problem, który powoduje, że mu nie ufam. Otóż jest moment, kiedy Nawalny wraca do Rosji. Wraca po tym, kiedy go próbowali zabić, kiedy go ledwie odratowano. Co więcej, wie, że go wsadzą. Być może jest tak, że on postanowił pójść do więzienia dlatego, że uwierzył, że pójdzie do więzienia, a następnie z niego wyjdzie i odnowi Rosję. To jest możliwe, nie można mu tego odmawiać. Ludzie czasem potrafią zaryzykować życie dla czegoś, w co wierzą. Tylko problem polega na tym, że jakoś bardziej jestem skłonny uwierzyć w to, że ktoś mu coś obiecał, ktoś mu dał jakieś gwarancje.

HG: Nawalny przez długi czas miał wsparcie Kremla. No ukamienują mnie, jeżeli to powiem o człowieku, który nadal siedzi w łagrze, chociaż to jest żaden łagier, tylko kolonia. Kto nie widział z bliska kolonii, ten naprawdę ma wypaczone pojęcie. To jednak wygląda trochę inaczej, niż nam się wydaje. Nie tak jak u Szałamowa i Sołżenicyna. Pamiętam polskiego więźnia w kolonii, miał prawo do odwiedzin, przedstawiciel polskiej placówki pojechał go odwiedzić i zawiózł mu ojczystą prasę, a on wyraził ubolewanie, że polska ambasada jest tak tępa, że nie przywiozła mu „Playboya", bo wszystko pozostałe ma.

Nawalny musiał wiedzieć, że znalazł się w spektrum zainteresowań i że mu po prostu pomagają. Ja pamiętam, jak zmieniał się stosunek Borysa Niemcowa do Nawalnego. Na początku w zasadzie wszyscy, od Jawlińskiego do Niemcowa odnosili się bardzo podejrzliwie do Nawalnego, a to nie jest tak, że do każdego się odnosili podejrzliwie. Bo stosunek na przykład do Chodorkowskiego był zupełnie inny. Też bywał krytyczny, ale zupełnie inny. A tu było cały czas podejrzenie, że coś tu niedobrze pachnie. I dopiero gdzieś chyba po 2010 roku jest taki wywiad Niemcowa dla „Swobody", w którym mówi: „Nie, nie, Nawalny jest naszym sojusznikiem". Kiedy ten ruch zmienił zupełnie swój charakter, rozrósł się i się okazało, że można wymyślić sobie, powiedziałbym, ruch kadrowy opozycyjny, o konkretnym profilu, zajmujący konkretne miejsce na mapie opozycji.

WJ: Powiedzmy na koniec o jego stosunku do wojny, tej z 2008 roku.

HG: Wśród otaczających Rosję krajów, skłóconych z Rosją, jest przynajmniej jeden, w którym nazwisko Nawalnego do dzisiaj budzi jak najgorsze emocje. I to jest Gruzja. Ponieważ on nie tylko poparł wojnę z Gruzją. On publicznie przekręcił nazwę Gruzini, mówił o nich „gryzuny". „Gryzuny" to tyle, co gryzonie. On jest po prostu wielkoruskim szowinistą. Małofiejew i Dugin bardzo by byli zadowoleni z tego, co on głosi na temat wielkiej Rosji i jej granic, praw, sukcesji i tak dalej.

WJ: Ale oddajmy mu też zasługi.

HG: Zgoda. Był moment, kiedy on uwierzył, że kluczem do sukcesu jest walka z korupcją. Nie był pierwszym, ale był pierwszym, który tak to mocno nagłośnił i potrafił stworzyć z tego tak skuteczną akcję. Rzeczywiście, posunął naszą wiedzę o tej korupcji bardzo daleko. I pewnie to był ten moment, kiedy on poczuł właśnie swoją siłę i zaczął być niebezpieczny dla Kremla. Okazało się, że to jest projekt, którego kontrolować się już nie da. Tym niemniej korzenie tego wydają się mi kremlowskie.

Popatrzmy na innych w opozycji. Na przykład tak ceniony na Zachodzie Garri Kasparow. On przecież jest po prostu śmieszną postacią, intelektualnie komiczną. Przebranżowił się z szachisty w historyka i uwierzył w alternatywną historię, jakieś kompletne dyrdymały. Stał się arcykapłanem sekty historiograficznych scjentologów. To jest cymbał niewiarygodny. Niewiarygodny. Na dokładkę nie wierzę w odrodzenie rosyjskiej polityki rękami ludzi prymitywnie tak małostkowych i podłych, jak Garri Kasparow. Chodzi mi o jego zachowania wobec rodziny, wobec przyjaciół.

WJ: A co sądzisz o Niemcowie?

HG: Niemcow bywał czasem u mnie w instytucie, była to niesłychanie malownicza postać, czasem jako partner bardzo kłopotliwa. Przychodził z jedną dziewczyną, podrywał drugą podczas imprezy w ambasadzie, a równocześnie zalecał się do naszej sekretarki. Po drodze zdążył wypić butelkę koniaku z zastępcą ambasadora, a potem przychodził do mnie i pytał, czy nie mam czegoś na rozgrzewkę przed spotkaniem. Równocześnie on miał w sobie taki niesamowity dar. Otoczenie Putina włożyło kiedyś gigantyczny wysiłek, żeby nauczyć prezydenta porządnie nosić garnitur. W pierwszym okresie on wyglądał w nim jak w skafandrze kosmicznym mniej więcej. Natomiast jak Borys zakładał dżinsy i marynarkę, wyglądał, jakby właśnie wyszedł z dobrego sklepu gdzieś we Florencji na przykład, bo tam mężczyźni się najlepiej ubierają, a nie w żadnych Paryżach i Londynach. I to robiło wrażenie. Poza tym miał naturalny czar towarzyski. Jelcyn kiedyś opisywał swoje pierwsze spotkanie z Niemcowem, że jak Borys do niego wszedł, to wyszedł w zasadzie już jako przyszły dygnitarz, bo go zachwycił po prostu. Borys to była żywa, skrząca się inteligencja. Był człowiekiem ujmującym. On miał wszystko to, co trzeba. Putin przy pierwszym kontakcie nie wypadał efektownie, zawsze miał tego kompleks. I naprzeciwko Borys, wygadany, wyszczekany, naprawdę europejski, babiarz, smakosz, trybun ludowy.

Jakby mnie zapytano, co Borysa kosztowało życie, to powiedziałbym, że jedno nieopatrzne zdanie, rzucone pod wpływem koniaku do kamery. On był człowiekiem gadatliwym, nieoględnym czasem w słowach, jest takie rosyjskie przysłowie, że dla skrzydlatej frazy jest gotów poświęcić życie ojca. Oni znali się z Putinem od dawna, była między nimi pewna gra, a na jakimś etapie nawet pewna chemia. Co więcej, Niemcow miał świadomość, że ma nad sobą rozpięty parasol, ma ludzi, którzy go ciągle lubią w otoczeniu Putina, i że uchodzi mu więcej niż innym osobom. Nawet uporczywe nagłaśnianie przez niego afer z olimpiadą, z przygotowaniem do olimpiady w Soczi, kiedy starał się o stanowisko mera tego miasta, nie zrobiło żadnego wrażenia. Do czasu, kiedy wyszedł przed kamerę i bardzo dosadnymi słowami powiedział o Putinie telewidzom rosyjskim, że Putin jest, no trzeba to zacytować, „jebnięty". Wtedy podpisał wyrok na siebie.

WJ: Wykonać wyrok kazał Putin?

HG: Nie wierzę, aby sam Putin wydał rozkaz zabicia go. Myślę, że Putin w wąskim kręgu wyraził swoją wściekłość, powiedział, że dlaczego takiego tam jeszcze ziemia nosi i tak dalej, jak długo jeszcze ta swołocz będzie tutaj obrażać powietrze swoimi wyziewami, i życzliwi potraktowali to jak zlecenie, ale raczej ludzie niższego szczebla niż pokroju Bortnikowa czy Patruszewa. Bo ci zdawali sobie sprawę, jakie będą skutki polityczne tego w odbiorze i że Putinowi w polityce światowej to jednak poważnie zaszkodzi.

WJ: Postacią w opozycji, która wydaje mi się bardzo istotną i wartą obserwowania, jest Michaił Chodorkowski, bo Chodorkowski jest żywym dowodem tego, że się można zmienić. Mam takie wrażenie, że to jest człowiek, który się po prostu w którymś momencie przeraził tego, w czym sam funkcjonował. I dlatego zastanawiając się, czy ten system się zmieni, ja bym nie skreślał ludzi z wewnątrz systemu. Każdy, kto ma dziecko, wie o tym, że największym strachem i obawą jest to, czy moje dziecko sobie da radę w życiu. Wydaje mi się, że obawa kremlowskiej elity o przyszłość dzieci, o to, żeby im nie odebrano majątków, żeby ich, mówiąc krótko, nie odstrzelono, może być poważną motywacją dla ewentualnego sprzeciwu.

HG: Zgoda, ale z tym zastrzeżeniem, że Chodorkowski może być ważny, ale tylko w cieniu. Rosjanie oligarchy z okresu Jelcyna nigdy masowo nie poprą.

Rozdział III
Władcy marionetek

Władisław Surkow

Witold Jurasz: Porozmawiajmy teraz
o najważniejszych graczach. Mniej więcej w latach 2005–2007 u szczytu potęgi na Kremlu był
Władisław Surkow. Kiedyś Gleb Pawłowski zadał
mi pytanie, czy wiem, kim jest Surkow z wykształcenia. To było w odpowiedzi na moje pytanie, jaką koniec końców ideologię wyznaje
Surkow, bo on wówczas był naczelnym ideologiem Władimira Władimirowicza. Pawłowski powiedział, że jest to reżyser teatru kukiełkowego
i że jego rozumienie polityki polega na tym, że
– tutaj wziął dwa długopisy i postawił je na stole – „jest aktor", po czym puścił długopis, długopis spadł, Pawłowski skwitował: „no i już go
nie ma", a potem podniósł jeden z długopisów
i powiedział: „a ten zmartwychwstał". Surkow
kojarzy mi się z kardynałem Richelieu, człowiekiem cienia, który rozstawia pionki. Wybitnie
inteligentny i równocześnie na wskroś cyniczny.
Czy to są właściwe skojarzenia?

Hieronim Grala: Moim zdaniem właściwe. Richelieu jest ojcem idei wielkiej, nowożytnej Francji. Budował Francję wbrew swojemu królowi, wbrew elicie, wbrew dworowi. Richelieu potrafił sprzeciwić się monarsze. I Surkow mi tu pasuje, bo Surkow jest człowiekiem idei państwowej. Tyle że Richelieu, co zresztą widać nawet w *Trzech muszkieterach*, z pewnością człowiekiem cienia nie był – przecież miał w otoczeniu słynną szarą eminencję, czyli kapucyna ojca Józefa, zresztą także państwowca, co się zowie!

WJ: A Surkow potrafił sprzeciwić się Putinowi.

HG: Tak, przecież wyleciał ze stanowiska, kiedy się w 2013 roku sprzeciwił publicznie na posiedzeniu rządu Putinowi. Poza tym Surkow wyróżnia się tym, że cały czas uzupełnia swoją wiedzę o państwie, ideologii i szuka instrumentów. Kiedy dzisiaj Putin cytuje Iljina, to przecież Iljina przyniósł mu Surkow. U Iljina Surkow wyczytał o suwerennej demokracji.

WJ: Surkow dostosowuje się do króla?

HG: Nie, wyprzedza go. Na tym właśnie przez długi czas polegała siła Surkowa.

WJ: Czyli wypada z łask nie dlatego, że podąża w przeciwnym kierunku, lecz dlatego że Władimir nie nadąża, jeszcze nie dochodzi do jego pomysłu?

HG: Oczywiście.

WJ: A skąd on się w ogóle wziął? Poza tym, że z GRU oczywiście, o czym w swoim czasie powiedział ówczesny minister obrony Siergiej Iwanow.

HG: No skądś trzeba być. Albo z KGB, albo z GRU, bo tak znikąd to niemal nie wypada. Zresztą w specnazie GRU służył także jego ojciec (między innymi w Wietnamie). Ale to nie tylko chyba to. Otóż pierwsze studia Surkow rozpoczął w dosyć elitarnym instytucie, to się nazywało Moskiewski Instytut Mechaniczny Stali i Stopów. Wtedy studiował na jednym roku i ponoć mieszkał w jednym pokoju z Michaiłem Fridmanem, dziś oligarchą. A kto był ich rok starszym kolegą w tym instytucie? Obecny propagandzista Władimir Sołowjow! Niezła kompania, co?

WJ: Surkow to człowiek cienia.

HG: Oligarcha i w pewnym momencie polityk Michaił Prochorow publicznie nazwał

Surkowa „gławnyj kukławod ruskoj polityki", czyli „główny pociągający za sznurki w teatrze kukiełkowym", lalkarz. Nawiasem mówiąc, Surkow wprawdzie studiował w Instytucie Kultury reżyserię, ale nie lalkarstwo... Wydaje się, iż ta efektowna metafora wynika z (nie)zamierzonej omyłki przeciwników: lalkarstwem zajmowała się czynnie pierwsza żona Surkowa.

WJ: Czy na etapie, kiedy rozmawiałem z Pawłowskim o Surkowie, czyli mniej więcej w 2007 roku, był pomysł tworzenia państwa z udawaną demokracją sterowaną? To jest o tyle ważne, że takie państwo zapewne inaczej by też postępowało w polityce zagranicznej. Inna sprawa, że kto wie, czy nie byłoby jeszcze bardziej niebezpieczne.

HG: No oczywiście, Surkow jest jednym z tych, którzy chcą stworzyć zrozumiały, czytelny dla Zachodu oraz funkcjonalny dla Rosji system demokracji. To kreator polityki o ogromnych ambicjach, główny ideolog państwa, któremu wszystko łączy się w harmonijną całość.

WJ: Jak może się łączyć w harmonijną całość putinizm lat, powiedzmy 2006–2008, czyli putinizm miękkiego autorytaryzmu i miękkiego nacjonalizmu, z putinizmem 2022 roku?

HG: No więc nie do końca mu się połączył i dlatego jest nie tylko wyoutowany z polityki, jak wieść niesie, siedzi w areszcie domowym. On w pewnym momencie chyba zrozumiał, że została przekroczona granica bezpieczeństwa państwa. Myślę, że zagrał w nim państwowiec.

WJ: Surkowa nikt nie widział od dłuższego czasu.

HG: Informacja o areszcie domowym nie została potwierdzona oficjalnie, ale też nikt tego nie zdementował. Surkowa od wiosny 2022 roku nikt nie widział, a faktem jest, że wiele osób, z którymi miał bliskie kontakty, popadło w niełaskę. Jakbyśmy mieli scharakteryzować rolę Surkowa na przestrzeni dwóch dekad, bo mniej więcej przez tyle czasu jest bardzo wyraźnie widoczny w polityce, to ja bym powiedział, że to jest technolog władzy numer jeden i być może jedyny z prawdziwego zdarzenia na Kremlu. Jest to klasyczny przykład technologa – eksperta, który potrafił się wywiązać z zadań na wszystkich kolejnych stanowiskach, a były to bardzo różne zadania. Potrafił znakomicie przekonywać do siebie zwierzchników. W początkach kariery, kiedy był ochroniarzem Chodorkowskiego, oczarował go i ten powierzył mu ważne funkcje. Mówi się zresztą, że właśnie przy Chodorkowskim Surkow miał okazję położyć łapę na większości archiwum Komsomołu, stąd olbrzymia wiedza o późniejszym zasobie kadrowym. Potem wykorzystał znajomość ze studiów i będzie współpracował z Fridmanem. Fridman poleci go Bieriezowskiemu i ze skromnego urzędnika – zastępcy kierownika wydziału w pionie PR-u, poprzez krótki, ale intensywny flirt z bankowością – Surkow szybko staje się jedną z najważniejszych figur w potężnym ogólnorosyjskim kanale telewizyjnym ORT. Wiele osób twierdzi, że pomysł na stworzenie Prawego Dzieła (Słusznej Sprawy) – centroprawicowej partii, wspólnie z Jedną Rosją mającej stworzyć demokratyczną fasadę dla obozu władzy i jego swoistą legitymację, również należał do Surkowa.

WJ: Mnie jedna rzecz fascynuje. Biorąc pod uwagę karty, z którymi Putin zasiadł do gry, to aż do 24 lutego 2022 roku ugrywał niezwykle dużo, a jego sukcesy kojarzą mi się z dwoma nazwiskami: Ławrow i Surkow.

HG: Bez wątpienia tak.

WJ: A co się stało, że postanowił wszystko zmarnować?

HG: Ławrowa i Surkowa różni od Putina jedna ważna cecha: to nie są zwolennicy terapii wstrząsowych i radykalnych gestów. Ławrow starał się poszerzać rosyjską przestrzeń jednak spokojnymi, regularnymi krokami. Był zwolennikiem powściągliwej polityki. Nawet ostatnio nie zaliczano go do zwolenników „specjalnej operacji" w Ukrainie. Surkow był zwolennikiem układania się z Kazachstanem, z Mołdawią... W pewnym momencie nawet odpowiadał za kraje Wspólnoty Niepodległych Państw. Zresztą dla niego istotny był problem układania się także z Ukrainą...

WJ: Układania się w znaczeniu...

HG: No wiadomo jakim, ale bez bombardowania całego kraju, a to jest jednak jakaś różnica. Surkow okazał się tu nieskuteczny, ponieważ Putin chciał mieć bardzo szybko duże i, powiedzmy uczciwie, nieosiągalne sukcesy. Wydaje mi się zresztą, że Surkowa znacznie bardziej zajmowała praca konceptualna, wymyślanie programów niż to, czego po 2013 roku Putin od niego wymagał. Surkow budował swój wymarzony domknięty model „suwerennej demokracji". Pojawiały się też plotki, że uważał, że 2018 rok to już jest szczyt możliwości kandydowania Putina. Wizja dożywotniej prezydentury była czymś, od czego był jak

najdalszy, uznawał, że jest to dla interesów państwa szkodliwe...

WJ: Putin jednak u władzy pozostaje
i Surkow zostaje. Zostaje, bo jest wierny Putinowi, czy dlatego, że służy Rosji?

HG: Służy Rosji. Do 2020 roku odpowiada za Kaukaz, Ukrainę. Nie ulega wątpliwości, że
jest jednym z tych, którym Ramzan Kadyrow za-
wdzięcza napływ środków. To jest najważniejszy
lobbysta Czeczenii na Kremlu. Sam jest zresztą
czeczeńskiego pochodzenia.

WJ: Czy Surkow to jest człowiek, który
wierzy w cokolwiek poza Rosją?

HG: Jak napisał poeta Tiutczew: „W Ra-
siju można tolka wierit". Myślę, że wiara w Rosję
bardzo wielu rosyjskim myślicielom i politykom
zastępowała wizję, jaka ta Rosja ma być.

WJ: A może dorabiamy głębię ludziom,
którzy po prostu cały czas chcą być u władzy?

HG: Surkow jest jednym z nielicznych,
którym Nawalny nie wyciągnął gigantycznych
dochodów, zagranicznych kont... Poza tym jest

jedynym, który potrafił parę razy rzucić papierami. Putin w zasadzie oddaje go Miedwiediewowi w leasing, kiedy Miedwiediew zajmuje urząd prezydenta. Putin wraca, a Surkow jest cały czas przy Miedwiediewie. Mówiło się wówczas, że po to, żeby go pilnować. Tymczasem kiedy Putin atakuje rząd Miedwiediewa za brak realizacji jego tzw. majowych dekretów (2013 rok), to wszyscy siedzą ze spuszczonymi łbami, a Surkow zabiera głos i się nie zgadza z tą krytyką. Przez te dwadzieścia lat tylko Surkow i Kudrin się sprzeciwili prezydentowi. To są jedyne, w każdym razie publicznie znane, przykłady. Myślę, że wszystko zawiera się w takiej frazie, którą Surkow kiedyś żartobliwie wygłosił, gdy go zapytano, jakie są jego poglądy i kim jest. Powiedział: „Ja putinist jereticzeskogo tołka", czyli „jestem putinistą nieco heretyckim". Moim zdaniem nic dodać, nic ująć. Cynicznie pokazał karty z chytrym, kaukaskim uśmiechem.

WJ: Jedyny, obok może jeszcze Naryszkina, o którym będziemy wkrótce rozmawiać, prawdziwy intelektualista w elicie władzy?

HG: Chyba tak i swoją drogą to też charakterystyczne, bo Naryszkina co prawda nie aresztowano, ale też jest jednak podpadnięty. Jeżeli oglądałeś wywiady i wystąpienia Surkowa, to jest to jednak inny kaliber intelektualny niż pozostali przedstawiciele establishmentu. Pod pseudonimem, ukutym od nazwiska żony, pisze bardzo wysoko oceniane powieści, teksty piosenek, spotyka się z głównymi osobistościami rosyjskiego rocka i on w tym wszystkim znakomicie wypada. Ten niedoszły inżynier od stali i stopów stał się w pewnym momencie autentycznym łącznikiem między środowiskiem kulturowego undergroundu i literatury a elitą państwową. To jest bardzo nieszablonowa postać, wymykająca się wszelkim ocenom. Musi to być człowiek dużych możliwości, bo jak widać, w jakiejkolwiek dziedzinie by zaczął się realizować, to z powodzeniem.

Nikołaj Patruszew

WJ: Nikołaj Patruszew, sekretarz Rady Bezpieczeństwa Rosji, jest uważany za jeszcze bardziej twardogłowego niż Putin. Czy ten obraz Patruszewa jako tego jeszcze twardszego i jeszcze bardziej antyzachodniego jest prawdziwy?

HG: To skomplikowane. Patruszew kończy studia w 1974 roku i natychmiast idzie na roczne kursy przygotowawcze KGB. W 1975 roku ląduje w strukturze kontrwywiadowczej w Karelii. Dostaje funkcję na odcinku walki z korupcją i przemytem. Warto o tym pamiętać, to jest ważne dla jego późniejszej kariery, że on zajmował się tak naprawdę przestępczością przemysłową i handlową, a nie sprawami politycznymi. I tam na początku lat dziewięćdziesiątych przecinają się drogi jego oraz młodego oficera Putina. W 1992 roku Patruszew zostaje szefem kontrwywiadu i ministrem bezpieczeństwa Republiki Karelii. I siedzi tam do 1994 roku. To stamtąd pójdzie do centrali KGB.

Po drodze następuje zmiana – urzędnik, który całe życie łapał przestępców, przemytników, zmienia kierunek zainteresowań. To jest czas, gdy policjanci i złodzieje zaczynają się zamieniać rolami. Patruszew zaczyna się otóż angażować w szemrane interesy gospodarcze. W 1993 roku jego żona zakłada spółkę, która zajmuje się wywozem złomu metalowego za granicę, mówiąc wprost, zajmuje się przemytem. Podobne rzeczy robi Putin. Obaj – i Putin, i Patruszew – byli związani z aferą z wywozem brzozy karelskiej, za Putinem jeszcze latami ciągną się dziwne transakcje z zagraniczną pomocą humanitarną dla biednego Petersburga, gdzie są problemy z zaopatrzeniem. Były oskarżenia w Dumie miejskiej...

WJ: Ale ktoś rzecz całą zamiata pod dywan.

HG: No właśnie. Patruszew zostaje przeniesiony do Moskwy i obejmuje tam stanowisko szefa wydziału bezpieczeństwa wewnętrznego KGB. Czyli tak naprawdę kontrola, także właśnie nad korupcją itd. Nie ulega żadnej wątpliwości i istnieją wyraźne ślady, że jego stanowisko sprzyjało zamazaniu wszystkich afer finansowych, związanych z dawnym otoczeniem Putina. Właśnie wtedy te wszystkie historie ostatecznie zamieciono pod dywan. Zostaje nie tylko szefem tego wydziału, lecz także szefem zarządu KGB. W tym czasie Putin idzie jeszcze wyżej, Patruszew przychodzi w jego miejsce. Musiał w tym momencie być człowiekiem bardzo zaufanym, który dał dowody pełnej lojalności, wyczyściwszy wszystko, co się dawało wyczyścić.

WJ: Później dalej idzie w ślad za Putinem, kiedy Putin zostaje szefem FSB, a on zostaje zastępcą szefa FSB.

HG: Następuje ich wyraźne zblatowanie się, to jest ten moment, kiedy w zasadzie on sobie wymości drogę do wielkiej kariery. I od tego momentu będzie już szedł za Putinem krok w krok.

WJ: Mówi się, że jest tak naprawdę dwóch lub trzech ludzi, którzy mogą dzisiaj jeszcze z Putinem rozmawiać jak równy z równym. Patruszew jest jednym z nich?

HG: To jest wysoce prawdopodobne z kilku względów. Przede wszystkim rzeczywiście ich łączy bardzo wiele właśnie z lat dziewięćdziesiątych. Łączy ich również wspólny światopogląd. W przypadku obu z nich co jakiś czas wypływały takie anegdoty, że trzymają na biurku portret Andropowa na przykład. Więc jest to bez wątpienia pokolenie ludzi zapatrzonych w Andropowa. Przypomnijmy, że Andropow bardzo poważnie podniósł prestiż, może nawet nie tyle społeczny, co także materialny służb. Zadbał zresztą również o wzrost poziomu wykształcenia. Oficerowie byli zachęcani do tego, żeby kończyć studia, robić drugi dyplom, drugi kierunek itd. Patruszew, syn komandora, przecież nawet się doktoryzował.

WJ: O Patruszewie mówi się, że jest człowiekiem jak z filmów o służbach. Ale filmów kategorii B. Ponoć wita się z podwładnymi – nie ma oczywiście nagrań, ale jest dużo wiadomości w Internecie – mówiąc: „Co tam, skurwysyny?". Są zdjęcia Patruszewa z otoczeniem i nie ma tam nigdy kobiet. Mężczyźni są ubrani w garnitury, ale ręce układają tak, jakby szykowali się do zadania ciosu, jakby troszeczkę odstające od ciała. Że to jest taki model machismo. My to zawsze kojarzymy z Putinem, a niektórzy mówią, że u Patruszewa jest tego więcej.

HG: Ja ze trzy razy w życiu spotkałem Patruszewa i zawsze miałem wrażenie, że to jest taki... sztokfisz, że on jest strasznie zasuszony. Wiesz, nawet nie mogę powiedzieć, że na nim te garnitury źle leżały, uchowaj Boże...

WJ: Ale widzimy, że on jest w nich sztuczny.

HG: Tak, bez wątpienia. Poza tym on się nigdy nie uśmiecha. Albo jest śmiertelnie poważny, albo skrzywiony. Jest sztywny po prostu. Poza tym to, że na tych zdjęciach jego otoczenie wygląda tak, jak wygląda, to po części związane jest jeszcze z tym, kogo on wprowadził w to otoczenie. Jednym z jego koników była służba antyterrorystyczna. On pozatrudniał u siebie eks-komandosów, a nie intelektualistów z wydziału operacyjnego.

WJ: Wiem, jak wygląda Patruszew, ale żadną ludzką mocą nie jestem w stanie sobie przypomnieć twarzy szefa Federalnej Służby Bezpieczeństwa, czyli Aleksandra Bortnikowa, bo o nim mowa. Lata całe się Rosją zajmuję, a nie kojarzę twarzy szefa najważniejszej służby.

HG: No to jak Bortnikow to przeczyta, to się poczuje wyróżniony. Ja jego twarz pamiętam z przyjęć u gubernatora Jakowlewa. Pamiętam go jeszcze po takiej charakterystycznej dosyć ni to narośli, ni to brodawce na nosie. On był mało interesujący, powiedziałbym tak: jakbyś obok siebie postawił Patruszewa i Bortnikowa, to nie miałbyś wątpliwości, kto jest synem komandora, a kto ma korzenie kołchozowe. I w zachowaniu również. Jest taki późnosowiecki właśnie, „wicie rozumicie".

WJ: Oto mamy Bortnikowa, którego właśnie opisałeś. Mamy Patruszewa, który jest synem komandora, ale równocześnie jest antyzachodni. Mówimy tu o siłowikach, nie sposób więc nie wspomnieć jeszcze o Siergieju Iwanowie. Porównać go z Patruszewem – to jest taki kontrast jak między Patruszewem a Bortnikowem. Ale to nie Iwanow zrobił największą karierę, bo on jest już poza orbitą.

HG: Nikt nic nie wie. To nie jest wcale takie pewne. Wygląda na to, że on dość mocno jest okopany, taki zapasowy joker władzy.

WJ: Jeżeli mielibyśmy zrobić galerię czołowych siłowików, to mamy Bortnikowa, Patruszewa, Iwanowa i Naryszkina. To byliby czterej najważniejsi siłowicy, prawda?

HG: Mam wątpliwości, czy mimo piastowanego stanowiska i mimo nagłaśnianych doniesień prasowych Bortnikow, niby generał armii, w pełni odpowiada tej kategorii, czy nie jest jednak ździebko niżej. Ostatnio czytam różne hałaśliwe doniesienia, że już wiadomo, kto przekonał do ataku na Ukrainę, że to niby Bortnikow, Patruszew itd. Ja zawsze miałem wrażenie po odejściu Patruszewa z FSB do Rady Bezpieczeństwa, że on zatrzymał częściowo kontrolę nad Bortnikowem. Nie wierzę, że to są partnerzy. Potwierdzają mi to dosyć poważne źródła.

WJ: Formalne stanowisko wokół Putina zajmuje tym niemniej Bortnikow, a Iwanow wyleciał. Nawet jeśli jest w odwodzie, to jest w dalekim odwodzie, formalnie żadnego dzisiaj ważnego stanowiska nie piastuje. Naryszkin piastuje, bo jest szefem wywiadu, ale wiemy, jak został potraktowany na poprzedzającym decyzję o wojnie posiedzeniu Rady Bezpieczeństwa. Został publicznie upokorzony przez Putina. Ale cofnijmy się w czasie. Jest taki moment, w którym Putin po dwóch kadencjach oddaje władzę, przynajmniej teoretycznie. I to było poprzedzone długim okresem, kiedy wybierano następcę. Mówiono: albo Miedwiediew, albo Iwanow.

HG: Ciekawy był powód, dla którego zlikwidowano kandydaturę Iwanowa. Bo się okazało, że on jest za popularny i ma za dobre notowania w mediach. Nikt nie kwestionował jego lojalności. Ale jak się taki w dumę wbije, to się może stać za groźny. Ale był jeszcze jeden kandydat, o którym się nie pamięta, z kręgu putinowskiego. Tym kandydatem był właśnie Patruszew. Ten podobno, jak prasa wówczas doniosła, zdobył się na otwartą rozmowę z Putinem, którego poinformował, że on o nic się nie ubiega, do niczego nie pretenduje, ale oczywiście będzie absolutnie lojalny. Dał świadectwo swojej lojalności. On tak naprawdę nie był poważnie rozpatrywany, ale kandydatura padała.

WJ: Czemu Patruszew poparł atak na Ukrainę?

HG: Nie jestem przekonany, czy poparł. Dzisiaj już wiemy, że całe to nagranie słynnej narady jest ocenzurowane, że sporo z niego wycięto. Niemniej zachęcam do obejrzenia tego, co idzie jako wersja oficjalna, kanoniczna. Wyraz twarzy

Patruszewa to nie jest wyraz człowieka triumfującego, bo jego opcja wygrała. Jest to człowiek smutno zamyślony. Niekoniecznie ukontentowany. Raczej antyukontentowany. Spotkałem się z opinią, że on też zgłaszał zastrzeżenia, tylko zgłosił je zupełnie inaczej niż Naryszkin.

WJ: To znaczy?

HG: Po pierwsze, podobno zwracał uwagę na brak konsolidacji w samej elicie władzy rosyjskiej. Że najpierw trzeba porządek w domu zrobić. Nie wiem, jak tobie, ale mi to szaleństwo, którym jest 24 lutego, do niego nie pasuje. I jest jeszcze druga sprawa. To wystąpienie Putina 30 września o miłosnym zlaniu się nowych terytoriów z Rosją i tak dalej. Patruszew był zawsze człowiekiem ostrożnym. Natomiast proszę zobaczyć, jak on siedzi podczas tego wystąpienia i jak on wygląda. Widać, że on jest udręczony tym, co ten kurdupel opowiada. Zerknij na te zdjęcia, oni wszyscy siedzą obok siebie. Patruszew siedzi jak człowiek pewny siebie, z rozstawionymi nogami. Ale jednocześnie udręczony całym tym przemówieniem. Jakbyś tego słuchał, też byłbyś udręczony.

WJ: Jego wyraz twarzy wyraża...

HG: ...takie zmęczenie materiału. On jest już tym znudzony.

WJ: Patruszew, który niewątpliwie jest wybitnie inteligentny, mógł zapewnić Putina o swojej lojalności, kiedy był rozpatrywany jako następca. Wykazał się więc cierpliwością jeszcze większą od wszystkich innych, bo postanowił zagrać w dłuższej perspektywie.

HG: Ależ oczywiście! Ja od dawna twierdzę, że Patruszew jest tam największym graczem, bo gra na przyszłość, a nie na teraźniejszość. Jest człowiekiem, który swoją pozycję obudował, jego pozycja umożliwiła karierę dzieciom, ale w tej chwili pozycja jego dzieci stabilizuje również jego pozycję. Nigdy nie wierzyłem w opowieści, że Patruszew mógłby uczestniczyć w zamachu stanu, żeby sam przejąć władzę. Natomiast bardzo łatwo jestem w stanie sobie wyobrazić jego udział w projekcie, który docelowo wyniesie do władzy jego syna Dmitrija, w tej chwili ministra rolnictwa. Ministra rolnictwa, który kończył akademię FSB. Od czasu do czasu bywa rozpatrywany jako przyszłościowa kandydatura na prezydenta Federacji Rosyjskiej.

Gra na syna ma wielki rozmach. W 2006 roku, czyli w tym momencie, kiedy jego ojciec jest rozpatrywany jako potencjalny następca Putina, Dmitrij zostaje wiceprezesem kluczowego banku Rosji. Parę lat później, nie mając bankowych kwalifikacji, idzie na prezesa do czwartego wtedy w rankingu banku. Żeby nad nim przejąć kontrolę, musiano przy udziale służb stoczyć dramatyczną walkę, bo wyczyszczono poprzednie kierownictwo, a to nie były osoby przypadkowe. I przychodzi młody Patruszew, obejmuje rządy. W tle tego wszystkiego są nazwiska byłych premierów, nie chcę zanudzać czytelnika nazwiskami, ale to są czołowe postaci polityki i biznesu, wszyscy wspierają młodego Patruszewa. Jest też drugi młody Patruszew, też świetnie rozprowadzony. Ojciec Patruszew ma również brata, który też ma dwóch synów. Bratankowie są wsadzeni do biznesu... W Rosji towarzysko--koleżeńskie relacje ze szkoły, z podwórka, z akademika stanowią podstawę zarówno w polityce, jak i w biznesie. Ale Patruszew poszedł najdalej. To jest w pełni już rozwinięty model rodzinnego geszeftu, rodzinnego klanu. W tle są historie kryminalne, zupełnie awanturnicze. Jest Master--bank, z którego rady nadzorczej wyprowadzają brata stryjecznego Putina, a bratanek Patruszewa uczestniczy w przywróceniu mu tego stanowiska. Dla odmiany syn Patruszewa uczestniczy w przejęciu banku należącego do faceta, którego ochroniarze mieli nieszczęście pobić chłopaka Putinówny... To poziom porachunków na leningradzkim podwórku. Krótko mówiąc, „bandycki Petersburg" się kłania.

WJ: Nawet był serial o tym tytule.

HG: Serial, któremu ja nigdy, mieszkając i pracując w Petersburgu, tak naprawdę nie wierzyłem. Ale jak zaczynam przyglądać się powiązaniom, walkom i rozstrzygnięciom właśnie wśród tej byłej elity służb częściowo uwłaszczonej na majątku północnej stolicy, to widzę takie właśnie poszczególne „schiemy".

Siergiej Naryszkin

WJ: Przejdźmy do Siergieja Naryszkina. Chciałbym wcześniej zdefiniować, czym jest SWR, Służba Wnieszniej Razwiedki, czyli Służba Wywiadu Zagranicznego. Bo ona nie jest częścią FSB, jest niezależna. Czy jest też elitarna?

HG: W zasadzie od reformy Primakowa pod względem intelektualnym była to bez wątpienia najlepsza część rosyjskich służb. Lata dziewięćdziesiąte, kiedy Jewgienij Primakow obejmuje kierownictwo służby wywiadowczej, to czas, kiedy zdecydowanie poszerza się krąg ekspertów cywilnych, poszerza się spektrum interesujących ich spraw, a jednocześnie bardzo mocno zakreśla się suwerenność i niezależność tej służby od innych agend władzy. SWR ma też bezpośredni de facto związek z prezydentem. To jest jednak służba podlegająca obywatelowi nr 1. Mają poważne zaplecze intelektualne, doskonałe zaplecze fachowe, mają wreszcie solidne pieniądze. Wywiad wojskowy był dobry do pewnego momentu, ale wywiad wojskowy był bardzo wąsko profilowany, miał konkretne zainteresowania, konkretne zadania. Natomiast Służba Wnieszniej Razwiedki była tarczą i mieczem państwa w jego zagranicznych poczynaniach.

WJ: No dobrze, ale jeżeli myślimy o kampanii dezinformacyjnej prowadzonej przez Rosjan, o tym rozmiękczeniu Zachodu, to do któregoś momentu przypisuje się to SWR. Potem mówi się już o ingerencji w amerykańskie wybory. I tu nagle się pojawia wywiad wojskowy. Kiedy pojawia się wywiad wojskowy, Rosjanie zaczynają przesadzać. Do któregoś momentu grają bardzo ofensywnie, ale równocześnie zatrzymują się pół kroku dopiero przed tym punktem, w którym na Zachodzie zaczynają się odzywać dzwony alarmowe. To co się stało? SWR straciło nad tym kontrolę? FSB weszło? Bo mówi się o GRU, ale z drugiej strony, jak już na przykład mowa o Ukrainie, to ponoć tak naprawdę wszystko zostało zaprojektowane od A do Z przez FSB.

HG: I to wbrew doniesieniom wywiadu wojskowego.

WJ: I SWR podobno również.

HG: Przy czym z tego, co wiem, to Służba Wniesznej Razwiedki bardziej w swoich ekspertyzach i ocenach koncentrowała się na zewnętrznych skutkach ewentualnej agresji. Ich analizy były dosyć bezlitosne pod względem tego, że świat tego nie przełknie tak jak jak Krymu. I żadne współprace antyterrorystyczne, żadna Syria, Korea Północna ani Afganistan, nic tego nie przykryje. Wojskowi analizowali to od strony wojskowej i wychodziło im, że FSB nie doszacowuje zmian w armii ukraińskiej i że w ogóle nie jest w stanie oszacować spodziewanej przez wywiad wojskowy pomocy logistycznej dla Ukrainy. Co prawda chyba wywiad wojskowy, podobnie jak FSB, był przekonany, że jednak ta wojna szybko się skończy. Ale wracam do twojego pytania, co się stało? Wydaje mi się, że można to spersonalizować. Narastająca nieufność Putina do otoczenia. Wypróbowany stary stalinowski sposób wygrywania poszczególnych agend przeciwko sobie. Po 2012 roku wywiad wojskowy jako ten, który był krok od zdrady i poparcia kandydatury Miedwiediewa, był trzymany krótko, niedofinansowany. SWR bez wątpienia była solą w oku FSB, ale ratowało ją to, że na jej czele stał ktoś od lat związany z Putinem. Naryszkin ma jednak duże doświadczenie jako szef administracji i jako spiker Dumy, ma świetne powiązania polityczne. To jest odgromnik bardzo potężny. Naryszkin dosyć długo cieszył się bardzo dużym zaufaniem Putina, a w przypadku Naryszkina przez te wszystkie lata nigdy nie pada nawet cień podejrzeń, że mógłby stanąć w tenderze do „czapki Monomacha". Pomysł na to, że Naryszkim mógłby być następcą Putina, pojawia się de facto w publicznym odbiorze dopiero w momencie agresji na Ukrainę. Zaczyna się pojawiać na tej zasadzie, że może będzie chciał odreagować upokorzenie, ma swoje kontakty na Zachodzie, no bo je ma, a poza tym jest wpływowym człowiekiem, szefem jednej z ważniejszych służb, więc on na pewno dysponuje pewnymi możliwościami. Ale to jest zaklinanie rzeczywistości.

WJ: Bo w rzeczywistości Naryszkin nigdy tak naprawdę w tym tenderze...

HG: Nie uczestniczył. Ja myślę, że Naryszkin... Pobawiłbym się tu w psychologizowanie. Moim zdaniem Naryszkin nie jest człowiekiem, który kiedykolwiek parł do potężnej władzy. Naryszkin się znakomicie czuje jako ważny element układanki, wpływowy państwowiec i wielkich, takich gigantycznych politycznych ambicji nigdy nie miał.

WJ: Mamy do czynienia z jedynym człowiekiem w tym ścisłym kierownictwie państwowym, który realnie był szpiegiem. Bo Patruszew zajmował się kontrwywiadem, bycie kontrwywiadowcą to jest jednak bycie policjantem. Putin był niby oficerem wywiadu, ale w NRD, czyli w kraju, w którym się nawet nie krył z tym, kim jest, a inwigilował przede wszystkim swoich... Wychodzi zatem na to, że jedynym człowiekiem, który realnie zajmował się szpiegostwem, a tym samym realnie uczył się ostrożności, bo na tym polega szpiegostwo, jest Naryszkin.

HG: Naryszkin jako jedyny z nich wszystkich ma pełnowartościowe wieloletnie wykształcenie szpiegowskie. Naryszkin chyba początkowo był przeznaczony jednak do wywiadu gospodarczego, bo tak zaczynał karierę za granicą, co wynikało z faktu, że kończył studia jako inżynier mechanik, ale demonstrował duże zainteresowanie sprawami ekonomicznymi. Później zrobił doktorat. W 1980 roku on już ma – jako jedyny z nich wszystkich – kryptonim wywiadowczy. Wiemy, pod jakim nazwiskiem pracował. Miał nadane nazwisko operacyjne Naumow. Wtedy też na pewno poznaje się z Patruszewem, ich drogi bezpośrednio się przecinały w leningradzkich służbach, ale Naryszkin zostaje jeszcze skierowany na rok na dokształcenie w Moskwie. Więc on jedyny przeszedł tak naprawdę pełnowymiarowe studia szpiegowskie. Potem ląduje w Belgii jako radca handlowy czy radca gospodarczy ambasady. Pamiętamy, jak wyglądały przedstawicielstwa handlowe i gospodarcze Związku Radzieckiego, ale także później. W Warszawie kierował tym słynny, już nieżyjący, Zachmatow, skądinąd ponoć w stopniu generała, i w pewnym momencie się okazało, że na siedmiu bodaj pracowników wydziału wszystkich siedmiu jest zawodowymi agentami. W przypadku Naryszkina lata osiemdziesiąte są owiane tajemnicą, nie do końca wiemy, gdzie on poza tą Belgią był. Wiemy, że z przygotowania i z pracy wyniósł biegłą znajomość angielskiego i francuskiego. Odnajduje się na początku lat dziewięćdziesiątych.

WJ: Oczywiście w Leningradzie.

HG: Oczywiście, w aparacie Sobczaka.

WJ: Poznałeś Naryszkina jako konsul w Petersburgu. Jakbyś go miał scharakteryzować, jaki to był typ człowieka? O ile oczywiście można scharakteryzować szpiega...

HG: Leningradzki inteligent. Oczytany. Dowcipny. Lekko ironiczny, z takim specyficznym petersbursko-leningradzkim sarkastycznym poczuciem humoru. Dobrze wychowany. O rozległych zainteresowaniach humanistycznych. Przypomnę, że z wykształcenia inżynier mechanik i ekonomista. Oczytany w literaturze pięknej. Bywający w teatrze nie z obowiązku. Obdarzony pewną nietypową dla dygnitarza cechą, że na przyjęciach mógł być niezauważalny. On nie ogniskował na sobie uwagi.

WJ: Czyli dobrze wyszkolony szpieg.

HG: U niego to nie było tylko to. On po prostu chodził do teatru obejrzeć spektakl, a nie się pokazać. Gdybym miał ułożyć ranking inteligentów z szeroko pojętego otoczenia leningradzko-petersburskiego Putina, to wyżej niż Naryszkin wylądowałby tylko wieloletni szef

Centralnej Komisji Wyborczej, czyli Władimir Jewgienij Czurow, inteligent całą gębą.

WJ: Powiedz mi na koniec tego rozdziału, czy Putin ma dziś władzę pozwalającą kazać zabić rywala?

HG: Ten moment minął. Nie sądzę, żeby Putin w tym momencie miał taką władzę, żeby był w stanie ich wydusić jak lis kurczaki w kurniku. Za duże są związki między nimi, to przenika już wszystkie możliwe dziedziny życia.

WJ: Jakbyś mógł doprecyzować.

HG: Wszyscy wiemy na przykład, kim jest Sieczin, prawda?

WJ: Kim jest?

HG: Igor Sieczin jest doświadczonym działaczem państwowym, mającym ogromną wagę w gospodarce, kontrolującym sporą część gospodarki. Kopaliny i tak dalej. Członek rządu w pewnym momencie. Bezsprzecznie w tej chwili poza pierwszym eszelonem władzy, niewidoczny. Sieczin miał z Patruszewem, a raczej z jego żoną, wspólne interesy, wspólne przedsiębiorstwa, ukryte, do dzisiaj one są nie-wydobyte z rejestru. Razem kupili sąsiadujące działki w znanym tobie i mnie Srebrnym Borze. Mają sąsiednie dacze.

WJ: I do czego to prowadzi?

HG: Prowadzi do tego, że ludzie ze świata polityki, ludzie ze świata służb, ludzie ze świata gospodarki stanowią taką pajęczynę, że przypomina się tutaj rosyjskie powiedzenie „krugowaja poruka". Czyli że wszyscy za wszystkich ręczą, trzymają się wzajemnie. Bardzo trudno jest teraz to rozerwać.

WJ: Czyli Putin nie może wystąpić przeciwko jednemu, bo wtedy rzucą się na niego wszyscy?

HG: Tak, bo poczują się zagrożeni.

Rozdział IV
Ważni

Siergiej Szojgu

Witold Jurasz: Przejdźmy do Siergieja Szojgu, czyli długodystansowca. To najdłużej pełniący funkcję minister w dziejach Rosji i jedyny, który był ministrem i za czasów Borysa Jelcyna, i Władimira Putina.

Hieronim Grala: Ministrem jest od 1994 roku, czyli prawie trzydzieści lat. Rzeczywiście jest niezniszczalny.

WJ: Czy ta długowieczność nie ma źródła w jego popularności?

HG: W jakimś stopniu na pewno, choć nie wiem, czy ważniejsze nie jest to, że on nigdy nie sprawiał wrażenia człowieka, który mógłby stanowić zagrożenie dla tych na samym szczycie. Jest najpopularniejszym politykiem poza prezydentem Rosji. Być może wojna w Ukrainie zmieni te notowania. Zwłaszcza że przeciwnicy polityczni pracują nad tym jak mogą. Ale generalnie rzecz biorąc, on od zawsze był człowiekiem bardzo popularnym.

WJ: Ta popularność ma konkretne źródło. Był bardzo sprawnym ministrem ds. sytuacji nadzwyczajnych.

HG: I niezwykle sprawnie administrował swoją karierą i PR-em wokół tej kariery. I to od połowy lat dziewięćdziesiątych. Ale jest też jeszcze jeden element jego oblicza, czyli obraz wiejskiego głupka. Wszyscy traktują go jako takiego miłego prostaczka. Tylko że to taki prostaczek, który jest prawie trzydzieści lat ministrem...

WJ: Szojgu tworzy Ministerstwo ds. Sytuacji Nadzwyczajnych, nazywane popularnie ministerstwem ds. katastrof. Tutaj wyjaśnijmy, że w Rosji...

HG: Katastrofy są normą, więc jest to bardzo ważna agenda rządowa.

WJ: Ministerstwo ds. katastrof, czyli ministerstwo, które nadzoruje straż pożarną, ale również służby ratownicze, ma własne lotnictwo, nawet własne samoloty transportowe, to jest potężny resort. Te ciągłe katastrofy w Rosji to jest wynik zestarzenia się jeszcze sowieckiej infrastruktury, czy to jest efekt bałaganu i bylejakości? Bo ja mam takie skojarzenie z Rosją: mniej więcej raz na rok ma miejsce duży pożar domu starców albo szpitala i tam zawsze jest kilkanaście trupów. Wszystkie drzwi ewakuacyjne są – żeby w nocy czegoś personel nie wynosił – pozamykane albo kluczyk zgubiono, i w związku z tym, jak wybuchał pożar, ludzie po prostu żywcem się smażyli. To się zdarzało regularnie, przynajmniej raz w roku, zazwyczaj częściej. Z czego wynika ta liczba katastrof w Rosji?

HG: Jest takie słowo rosyjskie „chałatnnost". To jest połączenie naszego tumiwisizmu z wschodniosłowiańską niefrasobliwością. Wszystko się starzeje, nikt niczego nie konserwuje ani nie naprawia. Nikt nie jest gospodarzem. To jest również w jakimś stopniu efekt siedemdziesięciu lat władzy radzieckiej, wszystko było nasze wspólne, czyli niczyje.

WJ: Czyli ktoś, kto jest ratownikiem – w tym przypadku Szojgu – po prostu musi zrobić karierę.

HG: Ja bym tylko zwrócił uwagę na jeden istotny moment w jego resorcie, który jest nie tylko związany z sytuacjami nadzwyczajnymi, katastrofami i tak dalej, ale pierwotnie, kiedy on wchodził do tego resortu, w 1991 roku, to jednocześnie był Komitet ds. Obrony Cywilnej. To jest taka struktura paramilitarna, podlegająca strukturom wojskowym. Pewnie wtedy zaczynał się jego flirt z wojskiem. Otóż on od początku zaczął niewiarygodnie sprawnie tym administrować. Zawsze był na pierwszej linii wszystkich nieszczęść, a w Rosji nieszczęść nie brakuje, jak ustaliliśmy. Pojawiał się w tej słynnej odblaskowej kurtce czerwono-pomarańczowej...

WJ: Ma ksywę Strażak.

HG: Tak. Demonstrował swoją sprawność, zjeżdżał na karabińczyku, osobiście interweniował. Zbudował legendę człowieka bardzo zaangażowanego, kompetentnego, ofiarnego, i na dokładkę bardzo mocno grał na bliskość z narodem, bliskość z ludem. Czy pamiętasz, jak tworzyli blok wyborczy Jedność (*Jedinstwo*), z którego później wykluła się dzisiejsza partia władzy? Chodzi mi o blok z symbolem tego słynnego niedźwiedzia, który Szojgu współtworzył z legendarnym zapaśnikiem Karelinem. Struktura ta miała się pierwotnie nazywać *Mużyki*.

WJ: Czyli twardziele.

HG: Może raczej twarde chłopaki.

WJ: A jak to się stało, że Szojgu jako jedyny człowiek z ekipy Jelcyna trafił do ekipy Putina? Bo Putin wyciął wszystkich ludzi Jelcyna poza Szojgu.

HG: Szojgu był jednym z tych, którzy szybko postawili na Putina, i powiedziałbym nawet, pomagali mu – czego nikt wtedy nie dostrzegał – po kolei niwelować różne siły przeciwstawne. Wchodził do kolejnych projektów, które był skierowane przeciw Putinowi, ale z każdego przesilenia politycznego wychodził coraz bardziej proprezydencki, coraz bardziej proputinowski, coraz bliżej władzy. Był koncesjonowanym likwidatorem różnych organizacji, do których wchodził jako znaczący gracz.

WJ: No i robi Szojgu karierę, aż przychodzi wojna z Gruzją, którą Rosjanie co prawda wygrywają, no bo trudno, żeby Rosja z Gruzją przegrała, chociaż patrząc na to, jak rosyjska armia wygląda teraz, to i to byłbym w stanie sobie wyobrazić.

HG: Rosjanie wygrywają, ale zarazem armia rosyjska się wówczas kompromituje.

WJ: Traci nieomal kolumnę z całym dowództwem. Jest też słynne zdjęcie śmigłowca bojowego, w którego kokpicie pilot sobie przytroczył smartfona z Google Maps, bo rosyjski system nawigacyjny nie działał, smartfon to było jedyne, co działało. Ówczesny minister obrony wprowadza bardzo głębokie reformy. I to są reformy na serio. Stawianie jednostek w stan gotowości bojowej, niezapowiedziane inspekcje, sprawdzanie, czy te jednostki mają realną wartość bojową itd. I w momencie kiedy zaczyna się mówić, że on tę armię rzeczywiście reformuje, że ona zaczyna przedstawiać sobą wartość bojową, że bardzo są wzmocnione jednostki powietrznodesantowe, że ćwiczy się przerzut na dużą odległość itd., minister zostaje zdymisjonowany. Przychodzi Szojgu. Przynajmniej w warstwie werbalnej nadal reformuje armię, ale jak to było tak naprawdę? Bo jego track record, jeśli tak można powiedzieć, wskazywałby, że był zawsze bardzo dobrym menedżerem. Ale z drugiej strony przyszedł z zadaniem wyhamowania reform poprzednika, bo te reformy się nie podobały. Nie podobały się też ich wielkie koszty. Uznano, że armia kosztuje za dużo, grzęźnie w korupcji, więc odchudzili budżet armii. Szojgu dostał zadanie nierozwiązywalne. Jak mieć jeszcze lepszą armię, ale taniej? Koniec końców z jednej strony mamy ministra obrony z opinią sprawnego menedżera, a z drugiej kompromitację w Ukrainie.

HG: Musiał też uspokoić nastroje w armii. W 2012 roku spora część kadry dowódczej była gotowa poprzeć kandydaturę Miedwiediewa. Pod jednym warunkiem: że armii dosypią grosza na potężne inwestycje. Przede wszystkim na rozwój nowych rodzajów broni, na unowocześnienie sprzętu itd. Miedwiediew chciał pieniędzy, żeby móc kupić armię. Nie udało się, armia poparła Putina w wyborach. Liczba głosów oddanych na Putina była przytłaczająca, co Szojgu przedstawił jako swój sukces.

WJ: A czy nie jest tak, że armia poparła Putina, ale Putin nigdy nie poparł armii? Że Putin wyniósł z lat spędzonych w KGB fundamentalny brak zaufania do sił zbrojnych?

HG: Ja myślę, że nawet strach przed armią.

WJ: Jest to pamięć o Żukowie, który przychodzi na Kreml...

HG: Oczywiście.

WJ: Wyjaśnijmy: marszałek Żukow, bohater II wojny światowej, przychodzi i obala szefa tajnych służb cywilnych Berię. Obala w sensie politycznym, lub też w jednej z wersji obala go dosłownie strzałem w głowę...

HG: Wydając polecenie likwidacji ludzi ochraniających Berię, ludzi ochraniających Kreml. To była, jak wszystko na to wskazuje, krwawa operacja przejęcia kontroli nad całą tą przestrzenią, gdzie się spotykały władze radzieckie.

WJ: Czyli innymi słowy: w historii Związku Sowieckiego raz jeden doszło do czegoś w rodzaju zamachu stanu.

HG: Armia po prostu odwołała się do swoich uświęconych tradycji z poprzednich stuleci. Bo jednak w historii Rosji nie jest wyjątkiem rozstrzygający głos armii w likwidacji osoby panującej. Katarzyna Wielka w ten sposób dojdzie do władzy. Gwardia, pułki Preobrażenski i Siemionowski doprowadzą ją do władzy. Jak spiskowcy zlikwidują później jej syna, Pawła I, to zlikwidują go oficerowie gwardii przecież. I armia poprze przewrót. To wszystko sprawiło, że kiedy planowano przewrót dekabrystów, to dekabryści uważali, że kto ma gwardię i garnizon petersburski,

ten łatwo sięgnie po władzę, i oczywiście doko-
nali złego, że tak powiem, rozrachunku swoich
możliwości. Dlaczego Stalin zlikwidował Tuchaczewskiego? Bo zarzucał mu przygotowanie puczu
wojskowego.

WJ: Nie tylko Tuchaczewskiego, trzech
z pięciu pierwszych marszałków... Wróćmy do
Szojgu. Szojgu reformuje armię.

HG: Szojgu w armii nigdy nie miał tej
władzy, którą miał w Ministerstwie ds. Sytuacji
Nadzwyczajnych. Poszedł w fasadowość. Demon-
strowano wielkie projekty, opowiadano o czoł-
gach, armatach itd. Mówiono Putinowi to, co
chciał usłyszeć, że mamy najlepszą technologię,
najlepszą broń, jesteśmy bardzo zaawansowani...
Opowiadając o wybitnych osiągnięciach zbrojeniówki, Putin przypuszczalnie cytuje Szojgu, któremu przez dłuższy czas bardzo wierzył.

WJ: Faktycznie było tak, że oni wielokrotnie prezentowali na przykład samolot, opowiadali, że przeszedł testy, że przeszedł pierwszą
próbę w locie, że trafił do jednostki, że wykonał
lot w jednostce... Mówiąc krótko, oni jeden eg-
zemplarz potrafili wielokrotnie multiplikować.
Czy to nas prowadzi do wniosku, że całe reformy

ostatnich dziesięciu lat to była jedna wielka wy-
dmuszka?

HG: W dużym stopniu tak. Myślę, że poszło to w źle zorganizowaną konsumpcję, że stąd
właśnie te wielkie fortuny, bo nadal było co rozkra-
dać. Rozkradziono, wytransferowano, a tworzono
rzeczywistość wirtualną, fasadową. Przy czym Putinowi łatwo było uwierzyć w to, co mu taki Szojgu mówi o wybitnych osiągnięciach zbrojeniówki, bo on jest z pokolenia przekonanego o tym, że
jedynie zdrada spowodowała przegraną wyścigu
zbrojeń z Zachodem. Mieliśmy przodującą technologię, wygrywaliśmy zdecydowanie, jeżeli chodzi
o pracę biur projektowych, myśmy nie powinni byli
przegrać, to jest niesprawiedliwe. Mamy potencjał.
A skoro mamy możliwości, pieniądze, jeżeli rząd
popiera tę politykę, to ten potencjał się zrealizuje
i stąd wiara w te Kalibry, Kindżały, Cyrkony...

WJ: Które są w istocie tylko nowymi wer-
sjami starych rakiet.

HG: Ależ oczywiście. Lub perspektywicz-
nymi obietnicami...

WJ: Jedyny nowy od A do Z projekt to jest
czołg T-14 Armata...

HG: Ja zresztą jestem głęboko przekonany, że cały ten pomysł z 2014 roku, pomysł Szojgu, żeby grozić Zachodowi, że będziemy otwierać swoje bazy wojskowe w różnych Wenezuelach, jest właśnie taką ucieczką do przodu. Wy nie wiecie, co my mamy naprawdę, wy nie wiecie, jak wygląda nasz potencjał, a już sam fakt, że my się zbliżamy do was, że tu będą dookoła bazy, jest formą szantażu politycznego. Jeżeli to powoduje ustępstwa Zachodu, to buduje autorytet armii rosyjskiej i buduje autorytet Szojgu w oczach prezydenta.

WJ: Niektórzy mówią o nim jak o prezydencie.

HG: No tak, iście stalinowski zawrót głowy od sukcesów. Szojgu bierze kolejne funkcje generalskie bez żadnego skrępowania, nie mając żadnego porządnego przeszkolenia wojskowego nawet, zostaje generałem armii, potencjalnym generalissimusem, i zaczyna się o nim opowiadać jako o wybitnym wodzu, wybitnym dowódcy. To już ma wymiar komiczny. A że coś się zaczyna dziać z jego jaźnią, to najlepszym dowodem jest humorystyczny wątek wymyślania sobie genealogii. W pewnym momencie Szojgu przestaje być skromnym ratownikiem, sługą narodu, normalnym obywatelem i okazuje się być potomkiem wielkiej postaci historycznej. Szojgu zaczął grać w to, że jest albo potomkiem, albo reinkarnacją najwybitniejszego z wodzów Czyngis-chana, Subedeja-baagatura. Tego, którego wojska doszły aż do naszej Legnicy i spustoszyły Węgry. W Tuwie, skąd pochodzi Szojgu, zaczął się kult Subedeja, przybrał wręcz wymiar zgoła państwowy. Muzeum, murale, w galerii narodowej wielki portret Subedeja. I nagle miejscowi bonzowie, duchowni twierdzą, że Szojgu jest po prostu reinkarnacją Subedeja, pojawiają się medale, fundacje, biografie. Najśmieszniejsze jest to, że on musiał kompletnie zgłupieć, że zagrał w ten wątek, bo z punktu widzenia Rosjanina i Rosji jest to odwołanie się do pamięci najkrwawszego najeźdźcy i kata Rusi, jaki jej się przytrafił.

WJ: Ja w ogóle tego wątku nie znałem.

HG: Subedej to jest ten facet, który wymordował i spalił nie tylko Kijów, ale i Włodzimierz, Suzdal, Rostów, ponad czterdzieści miast. To jest ten, który faktycznie poprowadził hordy mongolskie na Europę w XIII wieku. Wojował wszędzie z niezmiennym powodzeniem. A teraz cywil Szojgu kreuje się na jego albo wcielenie, albo potomka. Puszczając oko do tubylców, że jeżeli nie jest potomkiem z krwi, to przynajmniej z ducha – jako jego wcielenie. To jest po prostu odlot całkowity i niezwykły. I pozwala o sobie mówić jako o potencjalnym kandydacie na prezydenta Rosji.

Siergiej Ławrow

WJ: Ławrow jest ministrem spraw zagranicznych od 2004 roku. Czyli, daj Boże, już dziewiętnaście lat. Jak dziś pamiętam, jak w 2005, jadąc do Moskwy, słyszałem w naszym Ministerstwie Spraw Zagranicznych opinie, że minister Ławrow zostanie niedługo zdymisjonowany. No i jakoś nie został. Czy to jest tak, że trwa na urzędzie tak długo, bo jest po prostu idealnie i absolutnie bezideowym urzędnikiem i w związku z tym nie ma powodu, by go wymieniać? A może Ławrow sprzed dziewiętnastu lat to ktoś inny niż ten, którego widzimy dzisiaj?

HG: Myślę, że minister Ławrow ewoluował. Wspominaliśmy już, że był taki moment w życiu, w biografii zawodowej Ławrowa, kiedy on się poczuł bardzo silny i nawet chyba za silny. Zalicytował trochę za wysoko. Było skądinąd – to jest moja prywatna diagnoza – jednocześnie dwóch polityków, którzy popełnili ten sam błąd. Jednym był minister spraw zagranicznych

Ławrow, a drugim patriarcha Cyryl, którzy w specyficznym bipolarnym układzie Putin – Miedwiediew uważali, że mogą jeśli nawet nie zająć miejsce trzeciego wierzchołka w trójkącie – to by była zbyt śmiała koncepcja – to w każdym razie stać się na tyle ważnym elementem układanki, by zostać mediatorem, realną siłą, a w ślad za tym mieć suwerenne wykrojone księstwo.

Ławrow z tamtego okresu jest znacznie bardziej śmiały w swoich poczynaniach, w tym również w poczynaniach na terenie samej Rosji, czyli nie tylko w polityce zewnętrznej. Potrafi się przeciwstawić władzom na oficjalnych naradach, posiedzeniach rządu i tak dalej. Ławrow uważał, że stając się stabilizatorem polityki państwa na zewnątrz, nabiera ceny i wagi. I ten czy ów prezydent Federacji Rosyjskiej będzie się musiał z nim bardzo poważnie liczyć.

WJ: I to się skończyło wraz z powrotem Putina na stanowisko prezydenta.

HG: Tak, dla wielu się to wtedy tak skończyło. Chyba dlatego że nie tyle wrócił Putin, co wrócił inny Putin. Wrócił Putin bis, który nie zamierzał liczyć się z kimkolwiek bardziej, niż liczył się z nimi przed odejściem z Kremla. I Ławrow został natychmiast przywołany do porządku.

Potem on jest w zasadzie człowiekiem już złamanym.

WJ: To jest ten moment, kiedy na Kremlu, przy Putinie, powstaje coś, co można by nazwać kremlowskim ministerstwem spraw zagranicznych, na którego czele staje – i to jest bardzo charakterystyczne – Jurij Uszakow. Czyli były ambasador w Stanach Zjednoczonych. Ławrow był ambasadorem przy ONZ w Nowym Jorku. Czyli oczko niżej niż ambasador w Stanach Zjednoczonych, więc już to było upokorzeniem, prawda?

HG: Dokładnie tak i chyba nieprzypadkowym. Tutaj zresztą jest całe mnóstwo smaczków i podtekstów, bo nie ma w Rosji takiej kariery jak kariera Ławrowa bez wcześniejszego przecinania się drogi życiowej z ludźmi naprawdę silnymi. Po prostu nie ma takiej szansy, by zajść tak wysoko bez wsparcia. I tu trzy ciekawe punkty. Pierwszy: czy i kiedy mogły się przecinać drogi Ławrowa z Primakowem? Drugi: dziesięć lat spędzonych przez Ławrowa w USA to jest okres, nazwijmy go umownie, postpierestrojkowy, ale zarazem taki, gdy na kierunku amerykańskim dożywają jako eksperci, jako osoby liczące się, różne postaci z kręgu jeszcze Gromyki, czyli szefa sowieckiej dyplomacji od 1957 do 1985 roku. Punkt trzeci: gdzie zaczynał swoją dyplomatyczną karierę Ławrow?

WJ: Na Cejlonie, jeśli dobrze pamiętam.

HG: No właśnie, z początku jako prywatny tłumacz ambasadora, potem attaché. Niby nic wielkiego, ale kluczowe jest, kto był ambasadorem, a był nim przedstawiciel środkowoazjatyckich elit partyjnych, który odegra później dosyć dużą rolę w umacnianiu pozycji Gorbaczowa. Ambasadorem był otóż słynny Rafik Niszanow, w przyszłości I sekretarz Komunistycznej Partii Uzbekistanu i ostatni przewodniczący Rady Narodowości w Radzie Najwyższej ZSRR. On bardzo wysoko cenił Ławrowa, który charakteryzuje się nietuzinkowym talentem językowym. Ławrow do dziś wykazuje w swoim dossier, w swojej biografii biegłą znajomość angielskiego, francuskiego, ale również syngaleskiego i malediwskiego. Ale języki to sprawa drugorzędna. No bo nie dlatego był, tak twierdzą uczestnicy tej misji, najbardziej zaufanym człowiekiem ambasadora. Powtarzam: pierwsza praca. I najbardziej zaufany współpracownik ambasadora. Wygląda na to, że jakąś rolę odegrało skomplikowane pochodzenie Ławrowa.

WJ: Który nie jest czystej krwi Rosjaninem, więc już za samo to ma punkt u Niszanowa.

HG: No więc właśnie. Zwróć proszę uwagę, że spora część elity kremlowskiej, jak się poskrobie, ma bardzo różnorakie, nie czysto rosyjskie, pochodzenie, co większość, dodajmy, ukrywa. A inni ukrywają jeszcze lata dzieciństwa. Zaczynając od Putina, z którym mamy różne dziwne rzeczy.

WJ: Nie ma nawet jasności, kiedy się w ogóle urodził.

HG: No mistrzem był oczywiście Żyrinowski, który z wyjątkowym tupetem i bandyckim wdziękiem uwiarygodniał się, mimo żydowskiego pochodzenia, grając z rosyjskim hipernacjonalizmem, a ten zawsze prędzej czy później staje się antysemicki. Ławrow, podobnie chyba jak Żyrinowski, też szukał drogi, jak uporać się z problemem swojego pochodzenia.

WJ: Przy okazji redakcji chyba wytniemy jednak fragment o uporaniu się z problemem pochodzenia, bo to źle brzmi.

HG Nie, absolutnie nie możemy tego wycinać. Bo wówczas zaczniemy zakłamywać realia tego społeczeństwa i systemu. Chcemy tego czy nie, ale mówimy o konieczności uporania się z problemem niestety obiektywnie nurtującym społeczeństwo rosyjskie. To, że to jest obrzydliwe, powoduje, że tym bardziej musimy o tym mówić, rozumieć, ale też widzieć skutki. W przypadku Żyrinowskiego było dla niego od samego początku jasne, że w społeczeństwie posowieckim na wielką karierę kogoś, kto jawnie i publicznie będzie nazywany Żydem, jeszcze czas nie przyszedł. W związku z czym, kiedy mu zarzucano takie, a nie inne pochodzenie, na którymś wiecu czy konferencji replikował, że on ma prawidłowe pochodzenie, bo „mama Rosjanka, ojciec prawnik". Z Ławrowem jest podobna historia przecież. Otóż Ławrow po pierwsze nie nazywa się Ławrow. Ale jest problem z ustaleniem, jak naprawdę się nazywa i do którego roku jak się nazywał. Zagadnięty w 2005 roku w Erywaniu przez Ormian, którzy wszędzie szukają swoich kuzynów i swoich genów, zapytany, czy w karierze dyplomatycznej pomagają mu jego ormiańskie korzenie, udzielił niesłychanie pokrętnej odpowiedzi, że korzenie to w zasadzie on ma gruzińskie, ale krew ma ormiańską, bo tatuś był Ormianinem, który mieszkał w Tbilisi. Sęk w tym, że nie podawał nigdy nazwiska ojca. Nazwisko jego ojca podawane jest w dwóch postaciach: Kałantarow albo Kałantarian. Kałantarow to zazwyczaj była zrusyfikowana forma nazwiska Kałantarian. Otóż, była taka wybitna, już bardzo starszego pokolenia, śpiewaczka estradowa w Leningradzie o nazwisku Kałantarian. Dobrze ją znałem i kiedyś spytałem ją wprost: „Rubino Rubenowna, to Siergiej Wiktorowicz wasz czy nie wasz? A może kuzyn?". Staruszka uśmiechnęła się promiennie i powiedziała: „Od razu kuzyn... Powinowaty. Ale na pewno nasz. I niczyj inny". Sam Ławrow nigdy oficjalnie nie zajął stanowiska w tej sprawie.

WJ: Jednym z najbardziej obrzydliwych propagandzistów w Rosji obecnej, tej prowadzącej wojnę z Ukrainą jest Jewgienij Satanowski, były prezes Kongresu Żydów Rosyjskich. Satanowski, kiedy się z nim spotykałem, był niezwykle życzliwy w stosunku do Polski i nawet pamiętam sformułowanie, którego użył, by ową życzliwość wytłumaczyć. Powiedział otóż: „bo wasz antysemityzm, wasz polski, jest zawsze cieniem antysemityzmu rosyjskiego. Gdy u was Żydów obrażają, tu są dla odmiany pogromy". Tym tłumaczył sympatię rosyjskich Żydów do Polski. Pamiętam, że mówił też, że rosyjscy Żydzi muszą być lojalistami, bo inaczej obudzi się rosyjski antysemityzm. I ja, kiedy go dzisiaj słucham, tych jego dziko antypolskich tyrad, mam wrażenie, że on nie wierzy w ani jedno swoje słowo. Że kiedyś, za lat pięć albo dziesięć, jeżeli nadejdzie taki czas, że będzie mógł powiedzieć, co naprawdę myślał, wytłumaczy, że on tak naprawdę nie miał tego na myśli, co mówił, tylko kierował się właśnie tą zasadą, którą mi wyłożył, że rosyjscy Żydzi muszą być lojalistami. Zastanawiam się, czy to nie jest tak, że Ławrow ma poczucie, że musi być lojalistą.

HG: Ostatnia uwaga do pochodzenia Ławrowa. Jest rzeczą niesłychanie charakterystyczną, że odkąd pamiętam, we wszystkich jego oficjalnych biogramach i we wszystkich jego oficjalnych dossier w pozycji „narodowość" zawsze była rosyjska. Co też jakby dziwnie koresponduje z jego publicznym wyznaniem, że krew ormiańska.

WJ: Przed chwilą zacząłeś się zastanawiać, czy i kiedy mogły się przecinać drogi Ławrowa z Primakowem. Wyjaśnijmy czytelnikom, dlaczego to ważne. Jewgienij Primakow, pod koniec lat dziewięćdziesiątych premier Rosji, to taki, można powiedzieć, członek areopagu KGB.

HG: Pewnie nie tylko KGB.

WJ: Co masz na myśli?

HG: Primakow to jeden z tych nielicznych ludzi z elity ZSRR i Rosji, który stał się z czasem członkiem również elity światowej. Jeśli spojrzeć na różne nieformalne spotkania Primakowa z możnymi tego świata poza granicami Federacji Rosyjskiej, z wybitnymi przedstawicielami życia politycznego i biznesu na świecie, kiedy Primakow już nie pełnił żadnej funkcji, to widać gołym okiem, że on należał do tej kasty ludzi, którzy tak przywykli obcować ze sobą i myśleć perspektywicznie o losach świata, że nie mogą sobie tego odmówić również na emeryturze. W biografii Primakowa odbija się zresztą nie tylko cała złożoność dziejów rosyjskich służb u schyłku ZSRR i w początkach pierestrojki, ale także polityczny i intelektualny kaliber jej ówczesnych dygnitarzy. Znakomicie wykształcony, wżeniony w klan premiera Kosygina, bodaj najlepszy agent ZSRR na Bliskim Wschodzie. Czynny akademik, a jednocześnie kolejno: zastępca szefa KGB, szef Służby Wywiadu Zagranicznego, minister spraw zagranicznych, a wreszcie premier FR. Przysięgły etatysta, zwolennik zrównoważonego rozwoju gospodarczego Rosji, który nawet w atmosferze patriotycznego wzmożenia („Krym nasz!") nie wahał się w obecności Putina skrytykować politykę państwa. Legenda rosyjskiego wywiadu i dyplomacji...

WJ: No dobrze, Primakow, pomijając to, że był rzeczywiście członkiem najściślejszej elity, to równocześnie człowiek będący niewątpliwym inteligentem. Ja mam wrażenie, że w służbach można spotkać dwa rodzaje ludzi. Można spotkać wybitnie inteligentnych ludzi, których należałoby wręcz nazwać intelektualistami, i taki był Primakow. I można spotkać, no może niekoniecznie poszedłbym tak daleko, żeby powiedzieć: specjalistów od wyrywania paznokci, ale specjalistów od drobnego szantażu. Takich stójkowych. Ławrow służy stójkowym. Ale jego losy przecięły się wcześniej z człowiekiem ze szczytu?

HG: Wygląda na to, że tak. Po pierwsze, Ławrow kończył MGIMO, czyli moskiewską szkołę dyplomatów, jako specjalista od Wschodu, od języków orientalnych, od polityki azjatyckiej.

WJ: Czyli już zahaczał o krąg Primakowa.

HG: Musiał być w kręgu Primakowa. No, a późniejszy okres, czyli wtedy, kiedy on po raz pierwszy ląduje przy ONZ na siedem lat (tu ciekawostka – otóż on w USA spędził łącznie siedemnaście lat!), to z kolei czas, gdy tam jeszcze dominują ludzie Gromyki. Ja zresztą z paroma z tych żubrów, tu chodzi o wiek i kaliber, rozmawiałem.

WJ: Żubry to mi się zawsze jednak kojarzyły z żubrami kresowymi, a tutaj były żubry łubiankowe...

HG: Otóż ten żubr powiedział mi coś takiego: „No, Ławrow to jest duma naszego środowiska, naszego kręgu". Powiedział „naszego kręgu", czyli nie chodziło mu o MSZ, a o to środowisko, które się jeszcze w czasach szkoły Gromyki hodowało. Mój rozmówca został zresztą przy Ławrowie mianowany szefem muzeum resortowego, tego słynnego muzeum na placu Smoleńskim.

WJ: Odwiedzając to muzeum, dostałem taką ładną plakietkę pamiątkową, którą sobie można powiesić na ścianie. Na ścianie jej nie powiesiłem, po przyjściu do ambasady ją prześwietliłem.

HG: I słusznie.

WJ: Na wszelki wypadek. Tak jak zresztą prześwietlałem również garnitury po odebraniu z pralni chemicznej. Bo garnitury, jak wiadomo, w Rosji należy prześwietlać.

HG: Wszycie w marynarkę podsłuchu faktycznie jest technologicznie nieskomplikowane. Ja woziłem garnitury do pralni w Polsce.

WJ: I to jest ten moment, w którym czytelnicy uznają, że cierpieliśmy na paranoję.

HG: I że odeszliśmy od Ławrowa.

WJ: Wracamy więc do żubrów. Mówisz o tym, że ci starzy dyplomaci są dumni z Ławrowa, i rzeczywiście tak jest. Ja pamiętam, jak jeden z rosyjskich dyplomatów też starszego pokolenia mówił mi, że Ławrow zadbał o ministerstwo, rozumiał ministerstwo, podwyższył pensje, sprofesjonalizował. To są historie sprzed dziesięciu lat. Czy ci ludzie, ci zawodowi dyplomaci, patrząc na to, co Ławrow dzisiaj robi, nadal odczuwają dumę, czy raczej przerażenie?

HG: Pewna część ich już odeszła do krainy wiecznych łowów. Odpowiadając na pytanie – odnoszę wrażenie, że pod względem kadrowym pod rządami Ławrowa widzimy dwa różne MSZ-ety.

WJ: Widzimy ten, w którym każdy wiceminister był przynajmniej dwa, trzy razy ambasadorem albo też zastępcą sekretarza generalnego ONZ. I to jest ten pierwszy okres Ławrowa, w którym oczywiście oni grają przeciwko Polakom, ale równocześnie my możemy z profesjonalnego punktu widzenia ich podziwiać. A dzisiaj jest to Ławrow, który za rzeczniczkę ma Marię Zacharową, czyli wyjątkowo prymitywną, wręcz chamską kobietę.

HG: Ja bym powiedział tak, że ten pierwszy okres to był jego zawodowy szczyt. Potem mu się ubzdurało, że może być rozjemcą między konkurentami do carskiego tronu czy przynajmniej udzielnym kniaziem z udzielnym księstwem w postaci rosyjskiego MSZ...

WJ: I rosyjskiej polityki zagranicznej.

HG: Z wyłącznością na układanie się w tej materii z prezydentem. Nawet z pominięciem premiera. Jedynie on miał być partnerem prezydenta. Ekspertem i dyplomatą numer jeden w kraju. Wszystkie inne zdania się nie liczą. On to zbudował nie na zasadzie tylko budowy swojego autorytetu. Obiektywnie podniósł też prestiż instytucji, w tym także materialny. Był tym, który znakomicie zrozumiał, jakie jest znaczenie tego, co my nazywamy polityką kulturalną czy dyplomacją kulturalną. Przypominam, że Ławrow przez ten krótki czas, kiedy był w centrali, zanim znowu wyjechał do Stanów, przez dwa lata był wiceministrem. Dostał taką drugorzędną w zasadzie pulę do zawiadywania. Właśnie politykę kulturalną, współpracę gospodarczą, którą jak wiadomo, nie w MSZ się robiło. On wiele wtedy zrozumiał, wiele się nauczył, jeżeli chodzi o soft power. Twierdzi się, że był pierwszym, który uważał, że należy politykę kulturalną, domy kultury i tak dalej, wyjąć spod jurysdykcji takich jeszcze mocno sowieckich w duchu stowarzyszeń i że trzeba używać tego jako instrumentu stricte dyplomatycznego. Gdy wrócił i został ministrem spraw zagranicznych, zaczął rozbudowywać strukturę ministerstwa, z zapleczem kadrowym, bardzo szeroko otworzył drzwi dla ludzi dobrze wykształconych, usiłował zachęcić do współpracy z MSZ elity kulturalne, intelektualne. Próbował tworzyć jakieś intelektualne think tanki, fundacje, czasopisma i tak dalej. Ławrow w tamtym okresie cechował się bardzo zachodnim stylem zarządzania instytucją.

WJ: Wręcz zdemokratyzował rosyjski MSZ.

HG: Dokładnie.

WJ: Informacje o tym, co się działo na spotkaniach tzw. kolegium MSZ w początkowym okresie rządów Ławrowa, mówiły, że tam dochodziło do realnej dyskusji.

HG: Nie tylko to. Otóż kiedy odbywały się narady w kręgu danego departamentu czy danego wiceministra, to dopuszczano do głosu również trzecich sekretarzy i attaché, bywało tak, że Ławrow się zgłaszał do nich z pytaniami, i to wiąże się z czymś bardzo ciekawym z jego okresu nowojorskiego. Otóż on był w ONZ niesłychanie lubiany przez młodszych dyplomatów różnych krajów i przez prasę. Był jednym z nielicznych ambasadorów, który bez podkreślania swojej rangi do nich przychodził. Ponieważ jest nałogowym palaczem, szedł z nimi zapalić, rozmawiał, był bardzo demokratyczny, co oczywiście nie pasowało do wyobrażenia o sowieckim czy postsowieckim dyplomacie. Był bardzo otwarty, wesoły, z poczuciem humoru. Jego osobiste pasje i zainteresowania znakomicie współgrały z tym nowym wizerunkiem. No bo co rosyjski polityk kiedyś robił, jakie miał pasje? Zazwyczaj to było albo polowanie, albo rybołówstwo. Takie mniej więcej rzeczy. A ten tutaj rafting uprawiał. Patronował rozwojowi tego sportu w Rosji. Instytucjonalnie. On po prostu był inny. Poza tym nie przywoził garniturów z Rosji, szył sobie u dobrych krawców, kupował drogie krawaty...

WJ: Wejdę w słowo, to jest bardzo istotny element historii. Jest taka słynna opowieść, jak Chruszczow i Bułganin pojechali do Londynu w 1956 roku. Obydwaj w identycznych garniturach i identycznych, fatalnie dobranych, płaszczach. Jak tylko zobaczył ich ambasador sowiecki, natychmiast im kupił nowe koszule, krawaty i płaszcze.

HG: Gdy ja po raz pierwszy zobaczyłem legendarne zdjęcie Bułganina i Chruszczowa w tych szytych na Kremlu jesionkach, przypomniał mi się wyjątkowo złośliwy tekst Jerzego Urbana o profesorze Andrzeju Garlickim, że on ubiera się w namiot. Otóż oni mieli na sobie namioty. No i oto pojawia się dbający o formę Ławrow. Przynajmniej dbał wtedy. Jedyne jego słabości to papierosy wypalane w gigantycznych ilościach, tak było i jest. Dyplomata, który po podjęciu przez Kofiego Annana decyzji o beznikotynowych przestrzeniach w ONZ, pisze skargi i występuje publicznie, żeby Kofi Annan wybił sobie z głowy, że ma tu coś do gadania, bo siedziba Narodów Zjednoczonych należy do wszystkich członków założycieli, Annan tylko robi za administratora. Podobno Ławrow był doprowadzony do osobistej furii i tak tym dotknięty, że to był jeden raz, gdy w ONZ go realnie poniosło. Jak wieść niesie, co jakiś czas schodził do newsroomów i przynosił ze sobą dużą butelkę whisky, którą gościł młodych ludzi. W każdym razie był bardzo otwarty na rozmowę, chętnie dyskutował i nie zdradzał późniejszej skłonności do, jak to mówią Rosjanie, nieformalnej leksyki, czyli przekleństw.

WJ: No właśnie, i to jest pytanie, które mnie zawsze fascynuje, bo Ławrow, ten wczesny Ławrow, ten Ławrow będący jeszcze cywilizowanym imperialistą, to jest zarazem Ławrow, który na przykład z lubością opowiada sprośne dowcipy. O grubym żarcie, który opowiedział Catherine Ashton, już wspominaliśmy. Ale opowiadali mi koledzy z ambasady amerykańskiej w Moskwie, że kiedyś Condoleezzie Rice opowiedział dowcip o Micheilu Saakaszwilim, że oto wchodzi doradca Saakaszwilego i widzi Saakaszwilego, który oddaje się masturbacji. Widząc to, mówi: „Oj, przepraszam panie prezydencie". A na to Saakaszwili odpowiada: „To nie to, co pan myśli, to ręka Moskwy". Condoleezza Rice podobno zareagowała na ten dowcip w sposób absolutnie doskonały, to znaczy powiedziała, że go nie rozumie, i czy mógłby jej wyjaśnić. I wtedy w konfuzji był Ławrow, a nie Condoleezza Rice. No tym niemniej opowiedzenie tego dowcipu szefowej dyplomacji innego państwa i to jeszcze Stanów Zjednoczonych, i to jeszcze ze świadomością politycznej poprawności amerykańskiej, to jest coś niebywałego. I coś, co każe mi podejrzewać, że w Ławrowie ten obecny, już nieraz wręcz chamski człowiek, gdzieś w głębi siedział. Czy może się mylę, może on się stawał tym, kim jest dzisiaj, może się zmieniał? Jeśli tak, to czy dlatego że zaczęło mu za dużo wychodzić, uwierzył w swój geniusz dyplomatyczny i w to, że wszystko mu wolno?

HG: Nie wykluczam, aczkolwiek wątek z Condoleezzą Rice prowadzi nas ku jednej cesze charakteru, którą bez wątpienia ma. To się wielokrotnie ujawniało i to zgodnie powtarzają również starzy jego wielbiciele — otóż on jest strasznym mizoginem, co w warunkach rosyjskich, broń Boże, nie jest żadną wadą. On po prostu kobietami gardzi.

WJ: Z niego czasem wychodzi zwykłe chamstwo, kiedy na przykład na konferencji prasowej pod nosem komentuje pytanie dziennikarza: debil.

HG: No tak, tylko decydujące było słowo, które nastąpiło po „debil". On powiedział, i to się nagrało, powiedział: „debili blyad". „Kurwa, idioci przecież!" – polski szyk byłby taki. Otóż, ktoś mi kiedyś opowiadał taką anegdotę, jak podczas wystąpienia Walentyny Matwijenko w obecności

Putina jako premiera rządu, a przecież Walentyna
była doświadczoną dyplomatką, coś tam mówiła
od rzeczy i niewyłączony albo celowo niewyłączony mikrofon Ławrowa rozniósł po sali frazę „A eta
dura apiać", czyli „A ta idiotka znowu". Myślę, że
on specjalnie nie wyłączył wówczas mikrofonu.
Skądinąd były różne pomysły, żeby wprowadzić
mu do resortu jakąkolwiek kobietę na wiceministra. Jak wiadomo, skutków specjalnych to nie
dało.

WJ: A potem pojawiła się rzeczniczka Ma-
ria Zacharowa.

HG: To jest właśnie dowód na osłabienie
kontroli Ławrowa nad resortem. Tak przynajmniej
tłumaczą to starzy MSZ-owcy.

WJ: W pewnym momencie poszła plotka,
że była jego kochanką, ale to nie jest prawda.

HG: To znaczy, do tej plotki było załączo-
ne zdjęcie. A nawet kilka zdjęć jachtowo-raftin-
gowych, że oni właśnie tu razem, na jakiejś łó-
deczce i tak dalej. Nigdy specjalnie się temu nie
przyglądałem, ponieważ bardziej pasuje mi to do
teorii, że Zacharowa to jest nabór nie z polecenia
Ławrowa, ale wręcz rozmywający, osłabiający ten

wymarzony model ławrowowskiego MSZ, „zakonu MID", gdzie wszyscy są zawodowcami. Przecież nagle pojawia się grupa stosunkowo młodych ludzi, którzy nie pasują do MSZ pod względem kultury, zachowania, przestrzegania, a raczej nieprzestrzegania form. Zacharowa nie jest tu żadnym wyskokiem i wyjątkiem. Pamiętasz tego Safronkowa – zastępcę stałego przedstawiciela Federacji Rosyjskiej w ONZ, który nagle krzyczy w czasie wystąpienia swego angielskiego oponenta: „Patrz mi w oczy! Dlaczego nie patrzysz mi w oczy?". I zachowuje się jak jakiś żul z ulicy. Wpływy Ławrowa w pewnym momencie w resorcie zdecydowanie słabną. Znowu następuje zwasalizowanie, on się na to zgadza i co więcej, on w gruncie rzeczy sam dostosowuje się do tego. Dlatego mówię o dwóch Ławrowach.

WJ: Przez moment można było mieć wrażenie, że zbrutalizowanie i sprymityzowanie rosyjskiej dyplomacji odbywało się wbrew Ławrowowi, ale patrząc na Ławrowa z ostatnich miesięcy, można odnieść wrażenie, że on to całkowicie zaakceptował. Sam się taki stał.

HG: On to przyjął z dobrodziejstwem inwentarza. Na początku pewnie na zasadzie, że nie ma co się kopać z koniem, a w pewnym momencie, kiedy zrozumiał, być może zresztą po tym incydencie w ONZ, kiedy Putin pochwalił młodego człowieka, że dał odpór i tak dalej, że tak być musi. Do Ławrowa doszło, że taka teraz będzie ojczyźniana dyplomacja. I się do tego dostosował. On oczywiście wcześniej miewał różne wyskoki, przecież pamiętamy spór o to, co naprawdę zostało powiedziane w jego słynnej rozmowie z Milibandem...

WJ: Z szefem brytyjskiej dyplomacji.

HG: Zwrócił się do Milibanda, mówiąc „Who the fuck do you think you are", czyli „Za kogo ty się, kurwa, uważasz".

Faktem jest, że jedną z oczywistych, ważnych w tym zawodzie cech Ławrowa jest sarkazm i ironia. On rzeczywiście, niezależnie od tego, że parę razy przekroczył dopuszczalne granice, zwłaszcza w rozmowach nieoficjalnych ze swoimi kolegami, to i publicznie też je czasem przekraczał, ale też czasem wpuszczał, kolokwialnie mówiąc, rozmówców w maliny. Historia z dowcipem o Saakaszwilim jest przypadkiem, kiedy mu się nie udało, bo Rice zareagowała prawidłowo. Ale sposób, w jaki on wpuścił Truss w czasie rozmowy o granicach Ukrainy i Rosji...

WJ: Liz Truss, późniejszą brytyjską premier.

HG: Wtedy była szefową dyplomacji. Kiedy ją wpuścił w wątek, czy ma rozumieć, że Wielka Brytania nie zaakceptuje obecności wojsk rosyjskich w Rostowie nad Donem i w guberni woroneskiej, i ta skwapliwie się zgodziła, że nigdy się na to Wielka Brytania nie zgodzi, a następnego dnia musiała dementować, że w zasadzie ona nie wiedziała, że to jest część Rosji. No, po prostu pozostaje tylko postawić sobie pytanie: czy Ławrow to ex promptu wymyślił?

WJ: I jakoś tak się dzieje, że w efekcie zaczyna Ławrow, toutes proportions gardées, coraz bardziej przypominać herr von Ribbentropa.

HG: Tak, oczywiście.

WJ: Poza zastrzeżeniem, że Ribbentrop nigdy nie miał połowy tych kwalifikacji, które miał Ławrow.

HG: Gdy oglądałem tę słynną, poprzedzającą agresję na Ukrainę, naradę na Kremlu...

WJ: ...to patrzyłeś, a dopiero potem słuchałeś...

HG: ...dokładnie, i patrzyłem na Ławrowa...

WJ: Wejdę w słowo i zgadnę. Mieliśmy tam tych, którzy byli ewidentnie za, mieliśmy tych, którzy byli przerażeni, mieliśmy jednego, który ewidentnie był przeciw, czyli szefa Służby Wywiadu Zagranicznego, Siergieja Naryszkina i mieliśmy, spróbuję odgadnąć twoją myśl, jednego, którego twarz nie wyrażała absolutnie niczego, to jest Siergieja Ławrowa.

HG: Tak, pomyślałem sobie wówczas, że oto siedzi przed nami rosyjski odpowiednik, jak się on nazywał? A, Tarik Aziz – minister spraw zagranicznych Saddama.

WJ: Który rozumiał, w jakie g... właśnie za moment wdepnie jego kraj.

HG: On rozumiał. I wiedział, jakie mogą być koszty. I on te koszty w sumie poniósł. Ławrow oczywiście rozumie i zdaje sobie sprawę z kosztów.

WJ: Ale kosztów nie ponosi i nie poniesie. To go różni od Tarika Aziza.

HG: Z tego, co się mówi w rejonie placu Czerwonego, on swoje zastrzeżenia co do wojny przedłożył wcześniej Putinowi. I bardziej nie w postaci zastrzeżeń co do celowości operacji, a prognozy, bardzo niedobrej prognozy, jaka będzie reakcja świata. On nie ukrywał tego, że reakcja będzie, a Putin to zbagatelizował. W związku z czym Ławrow wiedział, jaka decyzja jest podjęta. Wiedział, co będzie dalej.

WJ: Bo to już jest ten moment, kiedy on nie tylko nie podejmuje decyzji, ale nawet już nie wpływa na decyzje.

HG: Jest już wyłącznie wykonawcą. Zresztą wcześniej, w grudniu czy w listopadzie 2021 roku, wyrażał chęć opuszczenia stanowiska. Zresztą po raz kolejny podjął próbę odejścia z resortu. Być może dlatego że wiedział, co się kroi.

WJ: No tyle że to go nie usprawiedliwia.

HG: Oczywiście.

WJ: Ale czy on jest, czy on trwa, bo ma poczucie, że jest w stanie uratować resztki tej profesjonalnej dyplomacji? Czy też on akceptuje to, co się dzieje? Bo ja w to nie mogę uwierzyć. Otóż jest jeszcze jeden element: jego córka, która przez lata mieszkała w Nowym Jorku. Przeniosła się do Moskwy co prawda lata przed wybuchem wojny, ale dziś nawet Nowego Jorku...

HG: ...ani Londynu...

WJ: ...odwiedzić nie może.

HG: No to jest może jakaś cena, którą płaci, bo jego córka i zięć nie tylko są w Moskwie, ale też muszą być w Moskwie. Jego córka studiowała na Columbii, a potem w Wielkiej Brytanii poznała swojego męża (absolwenta Cambridge), też z rodziny, no, powiedzmy, może nie oligarchicznej, ale dosyć zamożnej. Winokurow, tak nazywa się jej mąż, zrobił wcześniej porządny majątek. Po ślubie ona się związała z domem aukcyjnym Christie's, wtedy poznawała to, z czego się utrzymuje oficjalnie w tej chwili, czyli rynek sztuki. A potem wróciła do Moskwy i w Moskwie zajęła się tworzeniem firmy, która miała promować sztukę rosyjską na Zachodzie. A jest jeszcze córka metresy, też objęta sankcjami.

WJ: No właśnie, Ławrow podobno zostawił żonę.

HG: Oficjalnie ona jest jego żoną cały czas. Figuruje we wszystkich dokumentach majątkowych i oficjalnych biografiach, rozwodu nie było, co więcej, od czasu do czasu ona udziela wywiadów. Ławrow i jego żona poznali się na studiach, to jest typowe studenckie małżeństwo. On, gdy ją poznał, był na trzecim roku MGIMO, ona była studentką filologii uniwersytetu pedagogicznego. Jeździła z nim po placówkach. W Nowym Jorku była osobą podobno dość popularną w środowisku żon, była takim jakby dziekanem organizacji żon dyplomatów, żeby ułatwiać nowo przyjeżdżającym żonom integrowanie się w środowisku. Dla rosyjskiej misji prowadziła bibliotekę i tak dalej. Zawsze jednak była w cieniu męża. To była skądinąd i mądra, i ładna kobieta. Stanowili ładną parę. Po ich powrocie do Rosji, o ile pamiętam, ona zaczęła żyć swoim życiem. To był już czas, gdy od dawna się mówiło o romansie Ławrowa ze Swietłaną Polakową. On z nią i jej córką – Poliną Kowalewą, która została w Wielkiej Brytanii objęta sankcjami właśnie ze względu na związek jej matki z Ławrowem – latał służbowym samolotem i na służbowe wyjazdy. A madame Ławrowa jakoś spokojnie to wszystko znosiła.

WJ: W rosyjskiej elicie zostawienie żony dla kochanki to jest standard czy raczej ma się i żonę, i kochankę równocześnie?

HG: To jak w feudalizmie – są różne scenariusze. Część małżeństw, zwłaszcza w latach już poradzieckich, ma wymiar transakcji, ja bym powiedział, politycznych. Ktoś się żeni na przykład z córką prokuratora generalnego, bo to mu w pewnym momencie zapewniało parasol ochronny, a potem rozwodzi.

WJ: Albo minister obrony jest mężem córki premiera.

HG: No właśnie. To jest jeden scenariusz. Drugi scenariusz, zwłaszcza w przypadku właśnie małżeństw zawieranych jeszcze w Związku Radzieckim, przeważnie jest taki, że spora część tych małżeństw nie przetrwała. Nie przetrwało małżeństwo Putina z przyczyn oczywistych. Małżeństwo Ławrowa, jak widać, na papierze trwa, ale nie przetrwało. Nie wiadomo, jak to naprawdę jest z małżeństwem Miedwiediewa, chociaż się mówi, że ponieważ chłopem w spódnicy była madame Miedwiediewa, a nie jej małżonek, to ona w pewnym momencie zakomunikowała, że odchodzi, i pogoniła

Dimę. Wtedy się u niego rozpoczęły ataki, mówiąc z rosyjska, „zapoja".

WJ: Czyli ciągi alkoholowe.

HG: Choroba alkoholowa. Tak.

WJ: Wróćmy do Ławrowa. Korupcja, pieniądze. Ten wątek przy jego nazwisku rzadko się pojawia.

HG: Jest ku temu pewien powód, ponieważ jeżeli zerkniemy na to, co wykazały śledztwa środowisk opozycyjnych wobec Kremla i jaki majątek przypisywano Ławrowowi i jego rodzinie, to to był pikuś. Czyli duża willa, taki mały, powiedzmy, pałac i mieszkanie – bodaj trzystumetrowe – w Moskwie. Wyliczono, że gdyby to miał kupić ze swoich poborów ministra, to musiałby na to sto lat pracować. Ale no przepraszam... Cena nieruchomości Ławrowa jest prawie o połowę mniejsza niż nieruchomości, których posiadanie jest potwierdzone w przypadku jego dzisiejszej metresy, czyli Polakowej.

WJ: A jest Polakowa...

HG: Urzędniczką MSZ.

WJ: Czyli nikim.

HG: Tak, tak, co prawda ona do tego MSZ wprowadziła część swojej rodziny i znajomków na jakieś kontrakty gastronomiczne, stanowiska biurokratyczno-urzędnicze itd. Jej środowisko wygrywało, jeśli dobrze pamiętam, jakieś granty na promocję czegoś MSZ-owskiego. W efekcie jej stan posiadania jest nieporównanie większy. Tyle że w przypadku madame Polakowej jest jeszcze kwestia mieszkania, które ma w Londynie jej córka. Mówi się, że to mieszkanie zostało kupione przez Ławrowa. No to są trochę większe pieniądze niż jego mieszkanie moskiewskie.

WJ: Z zastrzeżeniem, że jeżeli to miał być azyl, to chyba będzie musiał szukać innego miejsca.

HG: Niestety cen nieruchomości w Chinach nie znam.

WJ: Czy Ławrow jest powiązany z oligarchią?

HG: Jeżeli już mówić o związkach Ławrowa z biznesem, to warto zwrócić uwagę na jego przyjaźń z Olegiem Deripaską. Ten wątek się pojawia od kilkunastu lat, na przykład kompromitujące zdjęcia z Polakową były zrobione na jachtach Deripaski albo w jego rezydencjach. Ławrow z Deripaską często jeździli razem na urlopy.

WJ: Akurat Deripaska na jachtach gościł...

HG: Kogóż nie gościł...

WJ: Kogóż nie gościł, łącznie z białoruską „trenerką seksualną".

HG: Jachty mają swoje prawa. Wracając jednak do tej akurat przyjaźni Ławrowa, to myślę, że ona była bardziej polityczna. Deripaska był przez lata „oligarchą zadaniowym", czyli był zadaniowany do realizowania projektów politycznych Rosji poza jej granicami. Weźmy aferę szefa kampanii wyborczej Trumpa Paula Manaforta. Pojawiało się też nazwisko Deripaski w próbach przejęcia kontroli nad różnymi gałęziami przemysłu w krajach takich jak Kanada. Pytaniem jest, czy zażyłość Ławrowa z Deripaską ma charakter zażyłości państwowego mocodawcy z oligarchą, który pełni funkcje służebne wobec dyplomacji rosyjskiej, wnosząc jako aport swoje pieniądze, które nie do końca muszą być jego.

WJ: To jeszcze jeden wątek. W czasie, kiedy Dmitrij Miedwiediew był prezydentem, pojawia się tzw. plan Miedwiediewa. Plan Miedwiediewa to jest w istocie to, czego domagał się Putin od Zachodu na przełomie grudnia i stycznia 2021/2022 roku. To znaczy: stworzenie w Europie systemu bezpieczeństwa zbiorowego, czy też niebezpieczeństwa zbiorowego należałoby raczej powiedzieć, oraz faktyczne wycofanie się z rozszerzenia NATO. To było tylko troszkę inaczej sformułowane. Plan Miedwiediewa był w istocie kopią planu Gromyki. Tego z całą pewnością nie wymyślił Władimir Putin. Ergo to wymyślił Ławrow.

HG: Powiedziałbym, nie tyle wymyślił, co wyjął z szuflady. Bo to jest jednak pomysł, który się pojawiał. Nawet w najlepszym okresie flirtu rzeczywistości postradzieckiej z Zachodem też pojawiały się wątki tego rodzaju.

WJ: Plan Miedwiediewa powstał w MSZ w Departamencie Planowania Polityki Zagranicznej. To było coś więcej niż tylko trik dyplomatyczny. To była polityka przez duże P. I to polityka, którą tworzono w MSZ, a nie na Kremlu. Czy to był moment szczytu Ławrowa?

HG: Tak, bez wątpienia. Zresztą, stąd się brało to przekonanie Ławrowa do 2012 roku, że ma szczególne miejsce w systemie władzy, że coś mu się należy. On rzeczywiście cieszył się przez długi okres ogromnym zaufaniem Putina i był traktowany – jak to się mówi – po partnersku. Okres rządów Miedwiediewa tym nie zachwiał, nadal był traktowany przez Putina jako bliski mu człowiek. Tym większa musiała być trauma Ławrowa, kiedy się okazało, że po 2012 roku będzie miał mniej niż więcej. Więcej już było.

WJ: A jak wyglądają relacje pomiędzy rosyjską dyplomacją a rosyjskimi służbami pod rządami Ławrowa? No bo wiadomo, że dyplomacja...

HG: Nasycenie służbami zdecydowanie się zwiększyło po 2012 roku, a w ostatnich – powiedzmy – sześciu latach zwielokrotniło się. Odmłodzenie MSZ wprowadziło sporą grupę osób ze służb i to w sposób niezawoalowany, tylko zupełnie oczywisty. To jednak jest ubezwłasnowolnienie MSZ przez służby. I to rzeczywiście widać.

WJ: Które służby dzisiaj ubezwłasnowolniły rosyjski MSZ, wojskowe czy cywilne?

HG: Cywilne. Przypuszczam, że musiała się odbyć rywalizacja o kontrolę między służbami wojskowymi a cywilnymi i cywilne wygrały. Po 2012 roku służby wojskowe mają de facto przetrącony kręgosłup. Wraz z powrotem Putina do władzy prezydenckiej służby cywilne znalazły się w pozycji wyraźnie już uprzywilejowanej w stosunku do służb wojskowych.

WJ: A armia w marnej pozycji w stosunku do władzy centralnej.

HG: Oczywiście.

WJ: Czego ślady dzisiaj widzimy.

HG: Tak, i to wszystko powoduje, że możemy się domyślać, że w zasadzie wpływy, które miała struktura wywiadu wojskowego w dyplomacji, zostały zastąpione przez wpływy służb cywilnych.

WJ: A Ławrow tę ingerencję w swój resort tolerował?

HG: Ławrow jest już cieniem samego siebie.

WJ: A czy Ławrow jest popularny wśród Rosjan?

HG: Przynajmniej do 2020 roku w kolejnych sondażach społecznych zajmował znakomite miejsce jako osoba publiczna. Cieszył się zaufaniem i popularnością. Do 2017 roku zawsze był w pierwszej trójce. Potem mu się trochę pogorszyło, ale zawsze lądował wysoko. Nie wiem, jakie były wyniki w ostatnich latach, bo ich nie widziałem. Cieszył się sporą popularnością, co nie jest zjawiskiem powszechnym dla przedstawiciela jednak intelektualnego w jakimś stopniu resortu. Nie stoi za nim siła armii, urok munduru też tu w grę nie wchodzi, jak w przypadku Szojgu.

Dmitrij Miedwiediew

WJ:. Mówi się, że Dmitrij Anatoljewicz Miedwiediew, w odróżnieniu od Putina i jego otoczenia, nie wywodzi się ze służb specjalnych. Jeśli jednak przestudiować jego życiorys, to wcale nie jest oczywiste. Mówiąc krótko, Miedwiediew to służby?

HG: Przynajmniej dwukrotnie o służby powinien był się otrzeć, i to blisko. W jego biografii jest nietypowy moment, który może mieć z tym związek: nie przeszedł nawet jako student służby wojskowej. To jedna z możliwych poszlak, ponieważ studenci, których brano na zamknięte szkolenia resortowe, zazwyczaj nie byli objęci szkoleniem wojskowym. W jego wypadku nie ma śladu jakiegokolwiek przeszkolenia wojskowego.

WJ: To jest pierwszy moment, który powoduje pytania. A drugi?

HG: To łatwość, z jaką, zostawszy prezydentem i usiłując budować swój blok, nawiązał współpracę, czy też zaopiekował się wywiadem wojskowym. To jest tylko domysł, ale też poszlaka.

WJ: Czyli wywiad wojskowy, a nie cywilny?

HG: Tak. Faktem jest, że studiował i był potem asystentem i adiunktem na wydziale, z którego wyszło bardzo wielu ludzi rosyjskiej elity władzy. Wydział prawa na uniwersytecie leningradzkim, petersburskim, był jednym z najbardziej nasyconych służbami.

WJ: Początek lat dziewięćdziesiątych. Jak wygląda wtedy jego kariera?

HG: W 1987 roku zaczął pracować na wydziale prawa. Mocno związał się z Sobczakiem. Był jego współpracownikiem i mężem zaufania już w 1989 roku. Sobczak w owym czasie był osobą inwigilowaną, której się przyglądano, trzymano pod lupą. Nie było wiadomo, czego się po nim spodziewać. Miedwiediew zostaje mężem zaufania i stąd już jest tylko krok do zostania doradcą Sobczaka. Będąc doradcą Sobczaka, trafia do komitetu spraw zagranicznych, którym kieruje Putin.

WJ: I tu się zaczyna jego wielka kariera.

HG: I tu się zaczyna. To jest skądinąd ciemny okres w karierze Putina. Przedstawiano mu różne zarzuty korupcji, malwersacji i to nie ex post, a wtedy. Miedwiediew aktywnie uczestniczył w bronieniu dobrego imienia Putina. Ponadto, będąc specjalistą od prawa cywilnego, pisał dosyć dużo ekspertyz na temat stosunków zagranicznych.

WJ: Miedwiediew do któregoś momentu sprawia wrażenie bardziej liberalnego od swojego otoczenia. Tymczasem gdy tylko zostaje prezydentem, prawie natychmiast angażuje się w wojnę gruzińską. Czy on był kiedykolwiek liberałem?

HG: Otóż dzisiaj już nie ulega żadnej wątpliwości, że kandydatura Miedwiediewa jest kandydaturą przeforsowaną ciężką ręką przez Putina. Miedwiediew miał odpowiadać wyobrażeniu, że Rosja jest proreformatorska, Rosja jest nowoczesna, Rosja się zmienia, Rosja współpracuje itd. Zainwestowano w niego, ale elita partii miała duże wątpliwości, bo on niczym się nie wyróżniał w strukturach Jednej Rosji, wcześniej był po prostu technicznym wicepremierem. Stawiano mu zarzut, że jest prozachodni, że przesiąkł zachodnimi wzorcami, żona też...

WJ: Putin przekonał jednak wszystkich, że to będzie lojalny, dobry prezydent. Wiemy, że Władimira Putina tak naprawdę interesuje prawie wyłącznie polityka zagraniczna. Czy w związku z tym Miedwiediew był elementem polityki dezinformacji? Chodziło o to, żeby nas nabrać? Czy też on przez moment był bardziej liberalny, bardziej prozachodni?

HG: Koniunkturalnie tak. Zapewne widział w tym swoją szansę, czego, wydaje się, Putin jednak nie przewidział. Jeśli pójdziemy w kierunku europeizacji, modernizacji itd...

WJ: Ale modernizacji i europeizacji na rosyjskich warunkach?

HG: Oczywiście. Nawiasem mówiąc, do całego tego konterfektu Miedwiediewa powinienem dodać dwie rzeczy. Mianowicie, wiesz, co mnie zawsze intrygowało? On zawsze podkreślał, że jest tak samo jak elita petersburski. Wydawałoby się, że dla elity miejskiej taki prezydent i taki polityk, profesor uniwersytetu, kulturalny, prozachodni, był w zasadzie ucieleśnieniem pewnych marzeń, tak jak wcześniej Sobczak. Otóż ja wśród tych starych petersburskich inteligentów, reżyserów, filmowców, dyrygentów, śpiewaków, pianistów nie spotkałem ani jednej osoby, która byłaby pod wrażeniem jego osobowości i która by się zachwycała: mamy wreszcie prezydenta naszych marzeń. Powiem więcej, on, urodzony przecież w Leningradzie, nigdy nie był przez to środowisko nad Newą traktowany jak swój. Może to ta jego teflonowość...

WJ: Ni pies, ni wydra...

HG: Nie zaistniał w przestrzeni leningradzko-petersburskiej jako ważny element personalny tej całej układanki.

WJ: Czyli był nikim.

HG: Kolejny charakterystyczny wątek. Jak się wymieniało wybitnych absolwentów uczelni, to nikt nie traktował premiera i prezydenta Rosji jako wybitnego absolwenta. On po prostu jest tak mało wyrazisty.

WJ: Facet w szarym garniturze. A czy to też nie jest pewna wskazówka, która może nas nakierować na służby, bo tak naprawdę dobrze wyszkolony oficer jest niezauważalny.

HG: Coś w tym jest.

WJ: Jest taka anegdota, aczkolwiek nie dotyczy służb, ale pasuje. Churchill kiedyś powiedział o premierze Attlee, że przyjechała taksówka, nikt z niej nie wysiadł, a był to Attlee. Miedwiediew właśnie był kimś takim przez długi czas, nieprawdaż?

HG: Dokładnie tak. Czytałem o tym, jak małżeństwo Miedwiediewów jest zainteresowane sztuką, i sobie pomyślałem, że ja prawie każdego z tych ludzi z kremlowskiej elity, o których tu rozmawiamy, spotykałem na wernisażach, w teatrze, na koncertach. A Miedwiediewów nie.

WJ: Jak to się stało, że Miedwiediew uwierzył, że jest prezydentem na serio, a nie na niby?

HG: Uwierzył na tyle, że zaczął sobie jednak budować zaplecze i to szeroko pojęte zaplecze.

Wątek budowania systemu dwupartyjnego w Rosji to jest wątek zmieszczenia w jednej budzie dwóch brytanów, czyli wymyślenia systemu, gdzie oni się będą wymieniać jako partnerzy, z których każdy będzie miał swoją partię. Jedna Rosja, czyli partia, która wyrosła z aparatu jelcynowskiego, to Putin. A centroprawicowa, chociaż o wyraźnie proreformatorskim obliczu partia *Prawoje Dieło* (Słuszna Sprawa – notabene cóż za piękna gra semantyką słowa „prawyj" – słuszny i prawicowy zarazem!), to miała być partia Miedwiediewa. Miały powstać dwa filary, na których się będzie opierać rzeczywistość rosyjskiej sceny politycznej. Wymyślił to ponoć Surkow, a matkował temu wielki kapitał.

WJ: Czyli to był model miękkiego autorytaryzmu?

HG: Tak, ale to nie wyszło, bo Putin jednak wrócił i żadnych dwóch filarów być nie mogło.

WJ: Nim to się stało, Miedwiediew walczył?

HG: Tak, wymyślono na przykład słynne „narodowe projekty", czyli powołanie do życia kilku takich, powiedzmy, sztandarowych projektów modernizacyjnych państwa.

WJ: À propos „nacjonalnych projektow": byłem kiedyś na spotkaniu politechnologów, którzy wówczas skupili się wokół Miedwiediewa. Wystąpił młody człowiek i zaczął opowiadać, w jaki sposób można efektywniej zarządzać tymi projektami, bo to miało być nowoczesne zarządzanie. I ci starzy politechnolodzy, ci ważniejsi, patrzyli na niego z autentycznym zdumieniem. Jeden w końcu nie wytrzymał i mówi: „Młody człowieku, chłopcze, przecież nie o to chodzi, żeby te projekty cokolwiek dały. Chodzi o to, żeby nie tylko w Moskwie i w Petersburgu można było nimi zarządzać". Celem narodowych projektów było tak naprawdę korumpowanie lokalnych elit. To Miedwiediew wymyślił, że chodzi o to, żeby kupić miejscowe elity, które w efekcie mają postawić na niego, a nie na Putina?

HG: Tak, jego otoczenie i on dużo się nad tym trudzili.

WJ: Czyli chodziło o to, żeby stworzyć swój system korupcyjny?

HG: Jest ta setka, dwie setki oligarchów, tych prawdziwych, dużych pieniędzy w Rosji. Czy się zastanawiałeś, czyje pieniądze mogły być w pewnych momentach po stronie Miedwiediewa?

Z kim on mógł mieć związki? Abramowicz! Miedwiediew miał poważne związki z Abramowiczem w swoim czasie. Poparcie Abramowicza odegrało dosyć dużą rolę w karierze Miedwiediewa w administracji prezydenta. Surkow, kiedy mu próbował stworzyć tę prawą nogę, wykorzystywał z kolei początkowo poparcie Fridmana.

WJ: Czyli innego oligarchy, właściciela Alfa Banku.

HG: Wielkiego oligarchy, z którym Surkowa łączy specyficzna znajomość, ponieważ byli kolegami z akademika w czasie studiów. Do tego dochodziły jeszcze kontakty z Prochorowem...

WJ: Wychodzi na to, że cała ta polityka rosyjska sprowadza się do tego, że ktoś z kimś był w akademiku, ktoś z kimś był na studiach, ktoś z kimś był w klasie albo ktoś z kimś był w KGB.

HG: Nie tylko rosyjska. We Francji się mówi, że elita władzy składa się z absolwentów bodaj sześciu wyższych uczelni. Wskazuje się palcem których.

WJ: Przyznasz, że Polska jest bardziej demokratyczna, dlatego że w Polsce...

HG: Dlatego że nie ma dobrych uczelni?

WJ: Dlatego że u nas dowolny idiota jest w stanie awansować.

HG: Ostatnie dwa lata turbulencji politycznych w Wielkiej Brytanii w krótkich i dosadnych słowach wytłumaczyła mi moja uczona przyjaciółka, skądinąd znakomita londyńska slawistka: to jest dyktat samozadowolonych kretynów z Oxbridge. W Rosji zatem mamy podobną sytuację. Tyle że w przypadku Oxbridge mamy kolegów, którzy razem chodzili do szkół doktorskich, mieli wspólne seminaria itd. We Francji mamy polityków, którzy kończą tę samą uczelnię, którą kończył ojciec, dziadek, stryj itd. Realia rosyjskie są jednak pewną karykaturą tych mechanizmów. Mamy wpływowego polityka, który najpierw jest ochroniarzem Chodorkowskiego w Komsomole, następnie współspaczem Fridmana w akademiku, a potem szefem projektów w ORT u Bieriezowskiego. To jest właśnie Surkow, który nie wiadomo, czy studia skończył. Raczej nie skończył.

WJ: To go nie dyskwalifikuje, bo najinteligentniejszy polski polityk, jedyny światowego formatu, studiów nie skończył, a ci, którzy skończyli, to jest często dramat.

HG: Prawda. Natomiast można mówić o wyjątkach, które potwierdzają regułę, a niestety u nas mamy reguły, które sprzeciwiają się wyjątkom.

WJ: Przejdźmy do momentu, kiedy Putin wraca do władzy i ma dworzanina, który uwierzył, że jest w stanie go zastąpić. Dlaczego Putin go nie wykończył?

HG: W rosyjskiej tradycji zdarzało się, że władca abdykował na jakiś czas, kogoś mianował na swoje miejsce i nawet mu się kłaniał. Iwan Groźny tak zrobił. Słynna historia z tatarskim carzykiem Siemionem Biekbułatowiczem, którego mianował carem, sam mu bił czołem i kazał tak czynić całemu swemu dworowi. Biekbułatowicz miał dużo szczęścia, bo przeżył ten eksperyment. Poza wszystkim, myślę, że przegrany Miedwiediew był dla Putina dość wygodny. Kontynuowano pewne istotne elementy jego polityki, elita władzy pozostała w podobnym składzie. Putin go złamał, zwasalizował. Jest jeszcze jeden ciekawy element: rola Cerkwi. Otóż, ogromną rolę w mediacji, żeby oni się nie pozagryzali, odegrał patriarcha. Na wyścigi obaj demonstrowali religijność, a Miedwiediew nawet w parze z żoną Swietłaną.

WJ: Władimir Putin jedynie poruszał ustami, a Miedwiediew miał przewagę, bo mógł ewentualnie powtarzać słowa po swojej żonie, zresztą Putin już w którymś momencie z żoną się nie pojawiał...

HG: Jedno z ostatnich wspólnych pojawień się, które miało zamknąć usta plotkarzom, to było wielkanocne spotkanie obu par u patriarchy, który chwalił obu polityków za współpracę, że to takie godne uwagi, że tak się zmieniają...

WJ: Odnośnie do Miedwiediewa, to Cerkiew miała chyba powód, żeby się za nim ująć. My tego nie dostrzegamy, ale za jego kadencji ona wzrosła w siłę. Przejdźmy do teraźniejszości. Mamy taki oto moment – wybucha wojna z Ukrainą i nagle się okazuje, że Miedwiediew jest najskrajniejszym ze skrajnych wśród tych najważniejszych...

HG: To narastało. Tam w ogóle się coś wydarzyło, rozstroiła mu się była osobowość albo nie wytrzymał organizm, mówiąc dosadnie.

WJ: Ale nie wytrzymał organizm w sensie alkoholu?

HG: Putin publicznie, bo w otoczeniu swoich doradców, nazwał ponoć Miedwiediewa pierwszym alkoholikiem Rosji, a potem dowcipkował na temat tego, co by było, gdyby mu ten alkohol zabrano. Jedna z tych sytuacji była efektem słynnego rzekomego włamania się na konto internetowe Miedwiediewa, kiedy w świat poszły jego przemyślenia geohistoryczne. Kazachstan nazwał sztucznym państwem i domagał się korekty granic na prawie wszystkich możliwych kierunkach geograficznych Federacji Rosyjskiej. My się dziwimy, ale przypominam, że Miedwiediew jako prezydent pojechał na Kuryle, gdzie nie odważył się pojechać ani Jelcyn, ani Putin w pierwszych swoich kadencjach, bo zależało im na stosunkach z Japonią. A Miedwiediew jako prezydent wziął i pojechał. Pamiętasz, że Japonia wtedy na jakiś czas odwołała ambasadora.

WJ: Tak, ale pamiętam też, co słyszałem od kolegi z ambasady Japonii, który mi opowiedział, że w czasie prezydentury Miedwiediewa otrzymali ofertę kupna Wysp Kurylskich, przy czym Rosjanie zaśpiewali wówczas kwotę trzystu miliardów dolarów. Co było powtórką z rozrywki, bo przecież zbliżoną propozycję, tylko za mniejsze pieniądze, złożyli gdzie indziej... To znaczy, nikt tego oficjalnie co prawda nie potwierdza, ale nieoficjalnie wiadomo, że sondowali Niemców na przełomie 1989 i 1990 w sprawie sprzedaży Kaliningradu.

HG: Ale o ile wiem, z Kurylami sytuacja jest nieco inna. Wygląda na to, że w drugiej połowie panowania Jelcyna sami Japończycy też sondowali, czy nie dałoby się tego tak załatwić. Oczywiście nie bezpośrednią transakcją, ale na przykład potężnymi inwestycjami w Rosji. Ale bodajże się okazało, że chętnych do tego, żeby te pieniądze podzielić, najlepiej bezpośrednio, było w kręgu Jelcyna za dużo. Ale Gruzja, Kuryle to nie były jedyne wyskoki za czasów Miedwiediewa.

WJ: Wywołanie zamieszek w Estonii.

HG: Owszem. I można by tak naprawdę mnożyć.

WJ: No dobrze, powiedziałeś, że to, co teraz z nim się dzieje, ta aberracja nacjonalistyczna, że to jest alkohol lub...

HG: Ja myślę, że to jest kilka rzeczy. Poza wszystkim innym jednak gdzieś nastąpiła frustracja.

WJ: Traktuje radykalizm jako szansę na powrót?

HG: On do pewnego czasu liczył się z tym, że prezydentura Putina nie będzie dożywotnia, że zachowana zostanie zasada kadencyjności. Zakładał, że będzie mógł znowu zająć wymarzony urząd. Na zasadzie: teraz ja, byłem lojalny, jestem wiernym wykonawcą niezbyt popularnej polityki prezydenta Putina...

WJ: ...przez moment miałem za duże ambicje, ale pogodziłem się z rolą i za to należy się nagroda.

HG: No tyle że się okazało, że on, dzięki różnym słabostkom, jest marnym ogniwem w tej elicie. Tak naprawdę przecież wielki atak medialny Nawalnego i jego ekipy zaczął się w 2017 roku od filmu o Miedwiediewie. Naprawdę nie jest trudno w kręgu Putina wskazać pięćdziesiąt osób znacznie zamożniejszych i bardziej skorumpowanych niż Miedwiediew, ale jako że to on był słabym elementem w tej układance, to właśnie w niego uderzono.

WJ: Rosjanie mogą nawet szanować złodzieja, byle ten złodziej był „mużykiem", czyli prawdziwym mężczyzną, a Miedwiediew nigdy nim nie był, nigdy nie miał w sobie tej siły, która by spowodowała, że ludzie by powiedzieli: no tak, ale on ma prawo.

HG: Przepraszam, on nie ma jaj po prostu. To widać. Że jest taki bezpłciowy.

WJ: Skoro Nawalny to zauważył...

HG: To i Putin, tyle że on znacznie wcześniej. Miedwiediew tak naprawdę ostatecznie się posypał w moim przekonaniu wtedy, kiedy tyle razy ukorzywszy się, służąc wiernie mimo dotkliwych razów, które zbierał od Wowy, nagle nie znalazł się z numerem jeden na liście partyjnej przy kolejnych wyborach. Wydaje się, iż wiedząc, że dla niego nie ma miejsca w rządzie, na fotelu premiera, zakładał, że teraz dla odmiany dostanie stanowisko szefa parlamentu. Putin przeprowadził operację tak, że Miedwiediew dowiedział się o tym, że go nie ma na liście do Dumy, ba – że w ogóle nie ma go na liście partyjnej – chyba zaledwie na tydzień przed jej ogłoszeniem, a cały establishment partyjny jeszcze później. Na pytanie dlaczego, Putin miał powiedzieć, że Dmitrij Anatoljewicz stał się dla wizerunku partii obciążeniem. Być może miała tutaj pewne znaczenie pewna nadaktywność, właśnie ta medialna. Ale tam było więcej zarzutów, bo przypominam, że pojawiły się też przecieki, że małżeństwo się rozpada (czytaj: że zostawiła go żona), że ma właśnie te wspomniane już problemy z alkoholem i tak dalej, że zaczęły się jakieś, czego wcześniej nie było, jego konflikty osobiste, wręcz połajanki, z innymi wpływowymi politykami. Tego było za dużo po prostu.

WJ: I przyszła wojna.

HG: Która go do prezydentury raczej nie wywinduje.

WJ: Ale przesunie z dwudziestego czy trzydziestego miejsca w szeregu do pierwszej dziesiątki.

HG: A to możliwe, chociaż z jednej strony radykalizacja jego stanowiska i permanentne wybryki medialne zaczynają już do tego stopnia nużyć jego własne środowisko polityczne (parokrotnie pojawiały się nawet plotki o czasowej wstrzemięźliwości na tym polu, ordynowanej mu przez prezydenta), że z lekceważeniem i ironią wypowiada się o nich publicznie ktoś taki jak Prigożyn.

Aleksiej Kudrin

WJ: Porozmawiajmy o liberałach. Tyle że musimy najpierw wyjaśnić, co to słowo znaczy w Rosji. Istnieje otóż takie pojęcie: „sistemnyj liberal", czyli liberał w ramach systemu. Czy można by powiedzieć w ten sposób, że ci wszyscy, że ta cała trójka, która jest najbardziej istotna w tym środowisku, czyli Kudrin, Nabiullina i Gref, to tak naprawdę nie są liberałowie w takim znaczeniu, w jakim Borys Niemcow był liberałem, tylko to są właśnie systemowi liberałowie, czyli ludzie z wewnątrz systemu? I jeszcze od razu drugie pytanie. Ja używałem w stosunku do tej grupy drugiego określenia, mianowicie nazywałem ich postpinochetowcami. To znaczy, oni byli liberalni w tym znaczeniu, że oni chcieli prowadzić bardzo liberalną politykę gospodarczą i mniej więcej na tym się kończył ich liberalizm. Bo ja nie pamiętam ani jednego momentu, w którym środowisko tych systemnych liberałów się zbuntowało przeciwko władzy. Oni czasami byli od władzy bliżej lub dalej, ale to nigdy nie było skutkiem ich sprzeciwu, czy też jednak jakiś sprzeciw był?

HG: Parę razy sprzeciwiał się władzy Kudrin i ten sprzeciw nie ograniczał się do spraw ekonomicznych. Potrafił się nawet pojawić na demonstracji. Ale faktycznie, o ile Kudrin kilka razy wypowiadał się w sprawach szerszych, to już Gref, Nabiullina i reszta tego środowiska rzeczywiście milczała. Ale zwróć uwagę na jedną ciekawą rzecz, mówimy o trzech ważnych twarzach transformacji gospodarczej Rosji i tylko jedna z tych osób jest chociaż w połowie Rosjaninem. Czyli Kudrin. Wszystkie trzy osoby są związane z historią represji. Historia rodzinna Kudrina od linii matki jest historią dramatyczną. Historia rodzinna Grefa to historia deportacji Niemców. A chociaż pani prezes nie należy do kręgów...

WJ: Pani prezes Nabiullina.

HG: Tak, chociaż nie należy do osób, które by się afiszowały zsyłkami Tatarów, to Elwira Sachipzadowna, urodzona i wychowana w Baszkirii, też ponoć ma w dziejach swej rodziny represje. Wracając wszakże do kwestii narodowości: tylko Kudrin może się powoływać na rosyjską krew, co zresztą „patrioci" i tak kwestionują, podejrzewają, że ma zupełnie inną.

WJ: „Patrioci" w rosyjskim wydaniu – podobnie niestety jak i w naszym – jak węszą wokół pochodzenia, to znaczy tyle, że szukają żydowskich korzeni.

HG: Chyba skądinąd w tym przypadku niesłusznie. Pytałeś się wcześniej o ich skalę wpisywania się w system. No to wrócę do tego, że Kudrin przy tym wszystkim potrafił wyjść na plac Błotny.

WJ: Czyli wziąć udział w protestach społecznych na placu Błotnym.

HG: Najśmieszniejsze jest, że tłum go wygwizdał. On zgłosił rozsądny postulat, żeby przestać gadać i wziąć się do budowania struktur demokratycznych. To nie pasowało także jego kolegom, razem z którymi tam się pojawił. Konstruowanie niepopularnych modeli, głośne wypowiadanie opinii, będących nie po linii albo wprost pod prąd, to coś dla niego typowe. Dowiódł tego wielokrotnie, bo on jest człowiekiem odważnym. Nikt też konsekwentniej i dłużej Putinowi i Rosji w oczy nie mówił, czym grozi to, że usiedli na igle, jak to się w Rosji mówi, gazowej. On już w 2012 roku prognozował, że mają dwadzieścia lat na to, żeby gospodarkę budować inaczej, bo prosperity węglowodorowa zacznie się niebawem kończyć i to będzie dla Rosji katastrofa. W 2016 roku prognozował jako konieczne odejście od ropy w ciągu dziesięciu, dwunastu lat. W 2019 roku powiedział rzecz, której nikt nie chciał wtedy słuchać w Rosji: problemem Rosji jest nie polityka, a bieda, i ta bieda grozi wybuchem. On zresztą niestety ma taką nieznośną cechę niesłuchanego proroka, że bardzo się cieszy, jak mu się prognozy sprawdzają: jak prognozował, że będzie dwunastoprocentowy spadek gospodarki, a pierwsze doniesienia mówiły, że 12,2 procent, to podobno był uradowany jak dziecko. On jest przekonany, że jest nieomylny, i jest straszliwie, brzydko mówiąc, upierdliwy. Któryś z doradców, ktoś z kręgu Kowalczuka powiedział, że Putin miał go już dosyć, bo wręcz skarżył się, że „za chwilę ponownie przyjdzie Kudrin i znowu będzie przynudzał".

WJ: Ale potem następuje wojna w Ukrainie, następuje Bucza, Irpień i nie słychać głosu sprzeciwu Kudrina. Z czego to wynika, czy to jest konformizm, czy to jest raczej poczucie, że głos protestu tak czy siak nic nie da i trzeba ratować to, co się da, żeby przetrwało to, co jeszcze zostało? Jakbyś miał odtworzyć psychologicznie, co on teraz myśli?

HG: Ja bym raczej był skłonny za dobrą monetę przyjmować tłumaczenie, że Kudrin to Europejczyk, który był po prostu zdegustowany tym, co się dzieje.

Elwira Nabiullina

WJ: Dobrze, przejdźmy do Nabiulliny. Jak już mówiliśmy, to niewątpliwe jedna z najzdolniejszych szefowych i szefów banku centralnego na świecie.

HG: Jest na pewno świetną, kompetentną, a może nawet wybitną ekonomistką. Były kiedyś drukowane wspomnienia jej kolegów ze szkoły i ze studiów. Ona zawsze była prymuską i zawsze była też „prawilnaja". Pierwsza w Komsomole, pierwsza w organizacji partyjnej, taka cały czas po linii. I tylko kiedyś jeden z kolegów powiedział: rany boskie, daleko odeszła od marksizmu, który nam tak żarliwie usiłowała wcisnąć. I tu jest ważny moment. Otóż ona pochodzi z prowincji, ale w chwili przełomu trafiła w niesłychanie charakterystyczną lukę dla takich ambitnych i utalentowanych osób. Weszła do ruchu, do Rosyjskiego Związku Przemysłowców i Przedsiębiorców. I to dawało dosyć rozległe możliwości, żeby być zauważonym. Została zauważona i potem wylądowała w 1994 roku w ministerstwie finansów, gdzie zaczęła robić karierę. Niebawem chyba upływa dwadzieścia pięć lat, jak pierwszy raz została wiceministrem. Co można o niej powiedzieć? Jest kompetentna, jest odważna, potrafi bronić swoich racji dosyć ostro, potrafiła, nie to, że się przeciwstawiać Putinowi, ale potrafiła go przekonywać. Nie darmo on w 2012 roku, wracając na fotel prezydencki, on ją zabrał ze struktur rządowych na swojego doradcę, zapewne już myśląc o tym, że ona jest kandydatem na szefa banku. No i zaczęła się wtedy ich trwająca już bardzo wiele lat bliska współpraca. Powtarzam, ona się potrafiła postawić.

WJ: Czy można powiedzieć, że Putin nikogo już nie słucha, jeśli chodzi o politykę zagraniczną, ale nadal jej słucha, jeśli chodzi o politykę gospodarczą?

HG: Myślę, że tak.

WJ: Ale dlatego że ma pokorę, czy dlatego że się nie zna na ekonomii, czy może z jeszcze bardziej banalnego powodu – bo ekonomia go w ogóle nie interesuje?

HG: Ktoś kiedyś porównał jej autorytet i pozycję w oczach Putina z rolą i pozycją prezesa Banku Rzeszy Hjalmara Schachta w oczach Hitlera.

WJ: Z tym zastrzeżeniem, że Schacht w 1939 sprzeciwił się wojnie, a w 1944 wręcz aresztowało go Gestapo.

HG: Kiedyś zastępczyni Nabiullinej powiedziała komuś: „A ty wiesz, że my tu ostatnio w banku, w naszym dziale analitycznym poważnie się interesujemy polityką, specyfiką polityki finansowej i gospodarczej Schachta?". Führer uważał Schachta za cudotwórcę gospodarczego.

WJ: Czyli innymi słowy...

HG: Myślę, że Putin uważa ją za bankowe wunderwaffe Rosji.

WJ: On może w ogóle z nią nie rozmawiać na temat wojny w Ukrainie. Bo Hitler z Schachtem też niemal na pewno nie rozmawiał ani na temat wojny, ani planowanych zbrodni.

HG: Nie, nie, to jest w ogóle inna relacja. Skądinąd Schacht uporczywie sprzeciwiał się wojennym poczynaniom Hitlera, po agresji na ZSRR wystosował do niego list prognozujący klęskę z przyczyn ekonomicznych!

WJ: Czyli Nabiullina jest przy władzy, a nie u władzy?

HG: Tak, dokładnie. Natomiast wiesz, jeżeli usiłujemy sobie jakiś profil jej tutaj

wykoncypować, to jest taka jej bardzo ciekawa opinia o reformie Gajdara. Ona mówi, że to
była konieczność, tę reformę trzeba było zrobić.
Ale dodaje, że kiedy się mówi o jej efektach, to
warto pamiętać o jednym, który jest efektem
podstawowym, kiedy już wszystkie te ekonomiczne zaszłości mają wymiar li tylko histo-
ryczny. Otóż jej zdaniem jest coś, co pozosta-
ło do dzisiaj: brak zaufania do reformatorów
i ekonomistów społecznych. Czyli ona jednak
też dostrzega całą tę, ja bym powiedział, PR-ową,
otoczkę tego wszystkiego.

German Gref

WJ: Przejdźmy do ostatniej postaci, czyli
do Germana Grefa. Gref jest Niemcem.

HG: Pochodzi z rodziny Niemców de-
portowanych przez reżym stalinowski na Sy-
berię. Zwróć uwagę na charakterystyczną rzecz,
że tak naprawdę o początkach kariery, młodości
i studiach sporej części osób, o których rozmawiamy, nie jesteśmy w stanie powiedzieć ze stu-
procentową pewnością. I tu też tak jest, bo nie
wiemy, jak było z początkiem studiów Grefa. Jest
wersja, że podjął studia na MGIMO, ale został wy-
dalony po pierwszym semestrze. Jest wersja, że

razem ze swoją pierwszą żoną startowali na studia w Omsku, ale się nie dostali. Tak czy inaczej Gref ostatecznie wylądował na studiach w Omsku. Wiemy też, że ma za sobą służbę w oddziałach specjalnych MWD.

WJ: Czyli też służby.

HG: W 1998 roku wyjeżdża do Moskwy. Trafia tam jako pierwszy zastępca ministra dóbr państwowych, i to już jest start do wielkiej kariery, bo chwilę później zostaje ministrem, specjalnie dla niego tworzą nieistniejące wcześniej Ministerstwo Rozwoju Gospodarczego i Handlu. Kiedy się kończy jego kariera rządowa, obejmuje prezydencję Sbierbanku. No i to jest facet, który siedzi w tym fotelu już przez cztery kadencje.

WJ: Czyli jest szefem najważniejszego tak naprawdę banku Rosji.

HG: To jest nieco bardziej skomplikowane, bo Sbierbank ma rzeczywiście gigantyczne zasoby i ogromny wpływ społeczny. Ale jednak politykę pieniężną kreuje Centrobank. Wiesz, co go zasadniczo różni od wszystkich członków rządu? Podwójne obywatelstwo. Otóż on ma niemiecki paszport.

WJ: Inni też mają, ale głównie cypryjskie, ewentualnie izraelskie.

HG: Popularne było izraelskie, ale również portugalskie na przykład. Tyle że nie na tym poziomie uczestnictwa w polityce.

WJ: Waga niemieckiego paszportu jest inna.

HG: No to jest też historycznie w Rosji odczytywane. Oto rosyjski polityk z Pitra ma niemiecki paszport. Prawda, że się to PR-owo na eksport nadaje?

WJ: Skąd się wzięła klęska liberałów, bo przecież oni wszyscy byli sprawni w zarządzaniu, czyli dla kogoś takiego jak Putin, który się kreował na technokratę, powinni być oparciem. Czy to, co dzisiaj widzimy, ta słabość Rosji, nie jest paradoksalnie skutkiem tego, że Putin chciał dobrze zarządzać, tylko że źle zrozumiał, na czym polega dobre zarządzanie? To znaczy, on wprowadził tzw. wertykał władzy, czyli innymi słowy pionowe zarządzanie, co czasami jest konieczne, ale co nie może skutkować paraliżem, a właśnie tym w Rosji skutkuje.

HG: Odpowiem nieco ironicznie. Jak wiadomo, Putin był przywiązany do podręcznikowej wykładni działalności i osoby Józefa Stalina. Kto to jest Stalin? „Uspieszny", czy jak później mówiono „efektiwnyj" menedżer, czyli odnoszący sukcesy lub efektywny menedżer. Putin też chciał być uspiesznym menedżerem, który będzie skutecznie zarządzał.

WJ: Mam wrażenie, że można powiedzieć w ten sposób, że jest sowiecki model zarządzania, który do któregoś momentu działa, ale gdzieś w okolicach późnego Chruszczowa, względnie wczesnego Breżniewa działać przestaje. Potem jest model gorbaczowowsko-jelcynowski, czyli w ogóle nie wiadomo, czy ktokolwiek czymkolwiek zarządza. Potem w efekcie powstaje system putinowski, czyli system, w którym nie dzieje się nic bez władzy zwierzchniej i to widać doskonale na przykładzie armii. Możemy to opisywać na wiele skomplikowanych sposobów, ale najlepszym jest ten, gdy zobaczymy, że rosyjski batalion czy jakaś mniejsza jednostka nie są w stanie podjąć decyzji o przesunięciu się o kilometr w lewo lub w prawo bez dowództwa brygady, a z kolei dowództwo brygady nie jest w stanie podjąć decyzji bez dowództwa zgrupowania, a ono nie jest w stanie podjąć decyzji bez decyzji sztabu generalnego.

To wszystko powoduje, że kiedy decyzja przychodzi, to ta batalionowa grupa bojowa jest już rozbita przez ukraińską artylerię. Nowoczesne zarządzanie polega na tym, że tworzy się system naczyń połączonych, gdzie góra nadzoruje, ale decyzje są podejmowane na możliwie niskim poziomie. I wtedy to zaczyna działać. Czy można powiedzieć, że Putin tego jednego nie rozumiał?

HG: Dokładnie.

WJ: Ale nie rozumiał, czy też miał przeświadczenie, że taki model w Rosji nigdy się nie sprawdzi?

HG: Myślę, że to, co nazywamy wertykałem władzy, nie jest żadnym know-how, nie jest żadną nowością rosyjską z czasów Putina, tylko powrotem do praktyk, które w historii Rosji były już znane i wielokrotnie stosowane. Przykład, który dałeś tu z batalionem i kompanią, działał w całej rozciągłości już za czasów Iwana Groźnego. Przechowujemy w Archiwum Akt Dawnych kancelarię rosyjskiego korpusu, którą zdobyliśmy w bitwie pod Toropcem (1580). I tam jest pełna korespondencja dowództwa korpusu z Moskwą! Oni w sprawie każdego ruchu, każdego działania i każdej dostawy pytają się Moskwy. Wszystko załatwia

się bezpośrednio z Kremlem. Czytałem też XVI-
-wieczne raporty na temat rosyjskich żołnierzy
z okupacyjnych garnizonów w Inflantach. Idealnie pasują do opisów z obecnej wojny. Jest więc
pijaństwo, handlują tym, co zrabowali, po prostu
genialne podobieństwa. Masz rację, tu uchwyciłeś
bardzo ważną część problemu Putina. Tyle tylko,
że to ma tak długą tradycję, że nie wiem, czy to
w ogóle można zmienić.

WJ: Lilia Szewcowa, czołowa rosyjska politolog, która kiedyś pracowała w Moskiewskim
Centrum Carnegie, napisała kiedyś tekst, którego
tytuł brzmiał *Impotencja omnipotencji*. Takimi słowami opisała system putinowski. To znaczy, że
Putin może wszystko, a przez to, że może wszystko, to on tak naprawdę nie może nic. Bo on nie
jest w stanie po prostu zarządzać.

HG: Tak, tak. Ten system to wszystkożerna bestia. I po prostu się dławi tym, co pochłania.

WJ: Czy gdyby Rosją rządzili Kudrin, Nabiullina, Gref, jeszcze pewnie byśmy znaleźli ileś
nazwisk im podobnych, to Rosja byłaby inna? Czy
to są ludzie w głębi duszy również wielkoruscy?

HG: Chyba skłamałbym, gdybym powiedział, że w jakichkolwiek pismach, wypowiedziach, przemówieniach, anegdotach dostrzegałem u Kudrina i tej grupy to, co dostrzegam u dominującej części polityków radzieckich i rosyjskich, czyli ten wielkoruski szowinizm. Ale oczywiście oni uważają, że Rosja ma potencjał i możliwości i należy się jej jak psu zupa wybitne miejsce w światowej elicie. Jednocześnie jednak oni również wiedzą, że ani pierwszego, ani drugiego, ani nawet trzeciego miejsca na świecie Rosja już nie zajmie, bo mają świadomość jej ograniczeń.

WJ: Czyli mieliby ambicje, ale jednak choć odrobinę ograniczone. Czy próbowaliby je realizować innymi, cywilizowanymi, metodami?

HG: Bez wątpienia gdyby to oni rządzili, byliby zwolennikami jak najszerszej współpracy gospodarczej ze światem. Ale nie można mieć też złudzeń. Rosyjskie ambicje próbowaliby oczywiście realizować.

Rozdział V
Kukiełki

Jewgienij Prigożyn

Witold Jurasz: Od jakiegoś czasu nazwiskiem, które często się wymienia jako mocnego człowieka Kremla, jest Jewgienij Prigożyn. Mówi się, że finansuje prywatną firmę wojskową, czyli tzw. CZWK, skrót od rosyjskiego *Czastnaja Wojennaja Kampanija*, czyli Prywatna Firma Wojskowa Wagner. Ale to chyba nieprawda, on niczego nie finansuje, on zarabia na Wagnerze. Skąd on się wziął, kim jest? Bo to jest jakiś fenomen ostatniego okresu.

Hieronim Grala: Mówiąc językiem środowiska, z którego wywodzi się Prigożyn, on się wziął z pierdla, z mamra. I przede wszystkim to nie on finansuje, tylko jego finansują. Nie do końca wiadomo, ile pieniędzy tam przepływa (zapewne dużo, a nawet bardzo dużo), a już na pewno nie wiadomo, czyje to pieniądze. Można się domyślić pochodzenia części tych środków, o czym za chwilę.

WJ: Czy oficerowie KGB mogą traktować byłego więźnia jak równego sobie, czy to się nie mieści w głowie?

HG: Oczywiście, że nie, ponieważ Prigożyn był więźniem kryminalnym. Dostał dwa wyroki. Najpierw w 1979 roku dwa lata za kradzież, co go dyskwalifikuje w oczach oficerów, a w 1981 dostaje trzynaście lat za rozbój, kradzieże i nakłanianie nieletnich do prostytucji. To jest „bandiuga", jak to się mówi po rosyjsku.

WJ: A jeśli oficerowie też kradną i też dopuszczają się rozbojów?

HG: No tak, ale oni „w imieniu służby", a on na własny rachunek. Wyszedł dopiero w 1990. Wychodzi po dziewięciu latach z więzienia i kolonii karnej facet, który z toporem czy z łomem się na kogoś zamachnął, i startuje natychmiast w biznesie. Jeszcze w tym samym roku, w którym wychodzi na wolność, otwiera sieć barów z hot dogami w Leningradzie. Pięć lat później jest właścicielem pierwszego lub raczej jednego z pierwszych sklepów, jak się wtedy mówiło z „elitnym spirtnym", czyli z luksusowymi alkoholami, na Wyspie Wasilewskiej. To jest początek jego kariery.

WJ: Czy można było wówczas mieć tego rodzaju sklep tak po prostu?

HG: Tak normalnie, to chyba jasne, nie można było dostać koncesji.

WJ: Czyli trzeba było mieć tzw. „kryszę"?

HG: Już wtedy musiał być w strukturach lub mieć tam solidne oparcie.

WJ: Wyjaśnijmy słowo „krysza". Krysza, czyli dosłownie dach, w sensie parasol.

HG: Ktoś otwiera nad kimś parasol, dokładnie. Jeśli wchodzisz w obrót towarami luksusowymi z zagranicy, to kontroluje to służba celna, koncesję wydaje administracja miejska, zatem to i owo mają do powiedzenia struktury, którymi kierował wówczas Władimir Władimirowicz Putin. To dzieje się jeszcze za Sobczaka, czyli w czasach, gdy Putin był zastępcą mera północnej stolicy. Ledwie rok później Prigożyn otwiera luksusową restaurację o nazwie *Staraja Tamożnia* (Stara Komora Celna). W świetnym punkcie, nieopodal tzw. Striełki, czyli miejsca, gdzie Piotr Wielki zakładał port. Wkrótce otwiera drugą restaurację – renomowaną, choć mniej luksusową o nazwie *New Island*, jest to restauracja na statku. I tu się zaczyna jego gigantyczny flirt z władzą. Najpierw osoba ważna z punktu widzenia kontroli państwowej, a niegdyś ważna jako premier (krótko) i minister spraw wewnętrznych, czyli generał Stiepaszyn w restauracji Prigożyna podejmuje szefa Międzynarodowego Funduszu Walutowego. Znaczy ma zaufanie, że to nie jest tak jak u Sowy, że lokal jest zabezpieczony. Przecież to były szef FSB! A potem w lokalu należącym do Prigożyna swoich gości zaczyna podejmować Putin. Najpierw japońskiego premiera Mori i Chiraca w 2001 roku. Potem Busha w 2002 roku, wreszcie – i jest to już dowód szczególnej łaski – obchodzi tam swoje urodziny w 2003 roku. Ja prigożynowskie restauracje z tego okresu dość dobrze pamiętam. Chyba jedyny raz, kiedy zetknąłem się bliżej z Prigożynem, to było przy okazji podejmowania w Petersburgu Romana Polańskiego w związku z rosyjską premierą *Listy Schindlera*. Kolację na cześć Polańskiego wydano właśnie w Starej Tamożni. Prigożyn przyszedł witać gości. Ja już wtedy pracowałem w Petersburgu trzeci rok, wiedziałem, że jest jakiś Prigożyn, ale nikt z moich rozmówców ze Smolnego, czyli ani z władz, ani ze służb i to nie tylko celnych, literalnie nikt tego nazwiska nie wymieniał, nikt nie traktował go poważnie. Pomyślałem: gospodarz lokalu przyszedł i poszedł, bo pewnie chciał na Polańskiego popatrzeć. On nie był członkiem establishmentu, nie był członkiem władz. Jest takie rosyjskie pojęcie „wor w zakonie".

WJ: Wyjaśnijmy to.

HG: Był ważnym przedstawicielem świata kryminalnego, autorytetem świata kryminalnego, mającym oczywiście pewne zawieszenia i immunitet w świecie władz.

WJ: Wor to złodziej, a w zakonie?

HG: W zakonie, czyli w prawie. Złodziej, który z jednej strony jest tak zawieszony w systemie, że ma większe prawa. Jest gwarantem wewnętrznego prawa w środowisku bandyckim i w istocie rzeczy jest złodziejem nietykalnym. To jest pośrednik między światem władzy i światem bandytyzmu. Depozytariusz zaufania obu stron.

WJ: Ale Prigożyn nie był worem w zakonie?

HG: Moim zdaniem był, ponieważ miał nie swoje pieniądze.

WJ: Ale siedział przecież...

HG: Ale on siedział wcześniej...

WJ: Czyli awansował w hierarchii?

HG: Moja diagnoza jest taka: otworzył biznes nie swój i nie za swoje pieniądze. Wtedy akurat władza uwłaszczała się w tempie ekspresowym. W Petersburgu, gdzie był port, gdzie była wizja strefy wolnocłowej, gdzie miały być wielkie zachodnie inwestycje, sporo było do podzielenia. Zresztą wtedy powstawały fortuny. Jest to jednak dziwne, że facet, który wychodzi z więzienia, wpada na pomysł otwarcia sklepu z luksusowymi alkoholami, a zaraz potem powstają te eleganckie restauracje. Innego rodzaju geszeftów byśmy się po nim spodziewali.

WJ: Awtomojki?

HG: Oczywiście.

WJ: Sex shopu?

HG: No właśnie, a tymczasem idzie w luksus, gdzie ma określony krąg odbiorców. Miejscowy establishment, wicegubernatorów, a potem – jak się okazuje – członków rządu. Jeżeli Putin swoje urodziny wydaje w jego restauracji, to znaczy, że on jest swój, że mają do niego zaufanie. Najpewniej dlatego, że ta restauracja jest bardziej ich niż jego. W moim przekonaniu wtedy był „słupem" i jest „słupem" do dzisiaj. Oczywiście, zarobił pieniądze, ale moim zdaniem nadal jest „słupem". Miał dwie restauracje i firmę cateringową, dlatego go nazywano w Rosji kucharzem Putina. Jego firma, która z czasem rozrosła się do rozmiarów imponującego holdingu (*Konkord*), była dostawcą cateringu dla różnych ministerstw, szkół, Dumy i na bankiety.

WJ: I dla wojska.

HG: To były gigantyczne dostawy dla armii, nawiasem mówiąc, bardzo krytykowane za złą jakość. Podobno robi dostawy dla wojska na front ukraiński i to powodowało awantury między nim a ministerstwem obrony. A przecież jego geszefty z armią nie ograniczały się do wyżywienia: tylko w latach 2014–2015 firmy Prigożyna dostały zamówienia na sprzątanie koszar i budynków ministerstwa obrony.

WJ: Kiedyś moja mama zadała mi pytanie, czy w Rosji jest mafia, i ja jej odpowiedziałem, że na to pytanie bardzo trudno odpowiedzieć, bo z jednej strony jest, ale z drugiej strony mafia to jest antypaństwo, czyli pojęcie „mafia" musi zakładać, że jest coś po tej drugiej stronie, czyli państwo.

Problem polega na tym, że jeżeli państwo i anty-państwo stają się jednością, to trochę trudno mówić o istnieniu mafii. Czy Prigożyn nie jest doskonałym przykładem?

HG: Jest bardzo dobrym i na obronę twojej tezy można przywołać słowa niewątpliwego autorytetu najbardziej kompetentnego w tej sprawie, a mianowicie Włodzimierza Putina. Pięć lat temu Putin, zapytany przez zagranicznego korespondenta o Prigożyna i jego związki z rosyjską polityką, odpowiedział, że „to jest rosyjski George Soros". Z perspektywy prezydenta Rosji można porównać bandytę z kreatorem wielkiej fortuny i uznać, że jego farma trolli, która jest przecież własnością służb, jest przedsięwzięciem charytatywnym, jak działania Sorosa. Zresztą Prigożyn bardzo długo nie był w ogóle widoczny w rosyjskiej perspektywie. Jego czas przychodzi w momencie, kiedy mu się powierza operacje specjalne i wojskowe. Tworzy się instrument do ingerencji za granicą. W 2013 roku dostaje polecenie stworzenia Agencji Badań Internetowych, tak się to nazywało, i tu zaczynają się jego popisy na przykład podczas wyborów w Stanach Zjednoczonych itd. Jeżeli dobrze pamiętam, to w związku z wyborami w Stanach Zjednoczonych środowisko administrowane przez jego farmę trolli wyprodukowało prawie półtora miliona tweetów.

On zresztą wtedy zaczyna demonstrować patrio-tyczną retorykę, sponsorować filmy patriotyczne itd. Powołane zostanie zbrojne ramię rosyjskich operacji specjalnych bez unurzania w tym oficjalnie pań-stwa. To jest nieformalna koncesja, idą środki pań-stwowe na Grupę Wagnera. Zaczynają się operacje w Libii, Afryce Środkowej, dziesięć krajów afrykań-skich objętych jest tą siatką. Przynajmniej w dwóch krajach wagnerowcy to albo ochrona prezydenta, albo siła, na której opiera się władza. Mamy Nigerię, mamy Kongo, mamy ślady ich działalności w Etio-pii, mieliśmy ich poważny udział w Sudanie, w Libii, w Angoli, na Madagaskarze itd. W Afryce Rosjanie wchodzą w szkodę już nie tym przeklętym z ich per-spektywy Amerykanom czy Brytyjczykom, ale tak-że życzliwym im Francuzom. To był, w mojej ocenie, ten moment, gdy im „krysza pojechała", zwariowali. To samo miało zresztą miejsce, gdy wspierali refe-rendum niepodległościowe w Hiszpanii, czyli kra-ju też im do tej pory życzliwym. No i mamy też wreszcie Syrię, gdzie Grupa Wagnera dopuszcza się zbrodni wojennych...

To jest potężna działalność. Wszyscy szepczą i mówią Grupa Wagnera, czyli kucharz Putina, a Prigożyn oficjalnie do tego wszystkiego przyznaje się dopiero w trakcie agresji na Ukra-inę. Co jakiś czas elektryzują nas doniesienia, że postawił się Putinowi.

WJ: Czysta abstrakcja.

HG: Dokładnie. Nie postawił się, bo nie jest nawet dopuszczany przed jego oblicze. Z niektórych polskich doniesień wynikałoby, że miał możliwość być na spotkaniu z członkami rządu. To nie wchodzi w grę. Co pewien czas może żółć z siebie ulać na Twitterze, podać skargę do komitetu śledczego lub do prokuratury na ludzi z establishmentu. Jest cynglem, a nie jakimś graczem. Może się przydać przeciwko ewentualnym zdrajcom w szeregach establishmentu.

WJ: Czyli dobrze, żeby establishment wiedział, że jest taki ktoś, kto w razie czego może być spuszczony ze smyczy?

HG: Tak. Dobrze mieć killera w zapasie. Ale też o dosyć ograniczonych możliwościach i tutaj zaraz posłużę się przykładem. Ma swój blog, który się nazywa *Kiepka Prigożyna*, czyli Czapeczka Prigożyna. Bywa tam do bólu dosadny w swych ocenach: niedawno opublikowane przez Dmitrija Miedwiediewa polityczne prognozy na nowy rok 2023, przewidujące m.in. powstanie IV Rzeszy i nowe rozbiory Polski, podsumował ironicznie mianem „erotycznych fantazji".

Gwoli sprawiedliwości trzeba dodać, iż oficjalnych dowodów uznania ze strony władzy mu nie brak, dostał przecież medal Bohatera Federacji Rosyjskiej. No cóż, ma też swoiste dowody „uznania" z zagranicy: obecność na listach sankcyjnych, międzynarodowe listy gończe. Niemniej ktoś, kto atakowany za werbunek do swojej armii wszelkiej maści skazańców, w tym przestępców ciężkiej kategorii, potrafi społeczeństwu zakomunikować tyleż otwarcie, co cynicznie: „Wolicie, żeby ginęli kryminaliści czy wasze dzieci", musi mieć dla Putina i jego otoczenia odpowiednią cenę.

Jakiś czas temu pojawił się jego tekst o tym, jak rozpoznać agentów Chodorkowskiego, gdzie padły słowa: „nagłaja, ryżaja morda so zbrytymi usami", czyli bezczelna ruda morda, rudy pysk ze zgolonymi wąsami. O kogo chodzi? O niezatapialnego gubernatora Petersburga – Biegłowa. Ale ten jest blisko związany z autentycznym oligarchą, człowiekiem Putinowi prawdziwie bliskim, Jurijem Kowalczukiem.

WJ: To kto spuścił Prigożyna ze smyczy?

HG: Różne są pomysły z tym związane. Ale nie zrobiłby tego wszystkiego, gdyby nie miał poparcia Putina.

WJ: Chciałbym zrozumieć w tym wszystkim Putina i jego schemat działania. Czy schemat działania Putina polega na tym, że on pozwala na konflikty w swoim otoczeniu?

HG: Bingo. Dokładnie o to chodzi.

WJ: Że jeżeli ktoś za bardzo wyrasta, to on wtedy spuszcza psy?

HG: To już się zdarzało. Spuszcza nawet na najbliższych. Nadmierne powoływanie się na wpływy u Putina zakończyło się zupełnie niespodziewanym upadkiem człowieka mu bodaj najbliż szego, czyli Władimira Jakunina. Krąg starych kombatantów powoli się wykrusza, tam jednak obowiązywał pewien partnerski układ. Putin sam się już zsakralizował we własnych oczach, coraz bardziej staje się arbitrem nad stronnictwami. To jest alienacja władzy, klasyczny mechanizm. Prigożyny i spółka są mu potrzebne, tak samo jak Kadyrow jest mu potrzebny.

WJ: Dlatego że chodzi o to, żeby podgryźć, ale nie zagryźć.

HG: Ja bym powiedział, że są cyngle różnego kalibru. Wielkorządca Czeczenii to jest kaliber federalny, można go użyć do specoperacji usuwania osób gdzieś za granicą tak, żeby państwo jako państwo było mało umoczone. Wrogowie Rosji, kaukascy wrogowie, giną dlatego, że to są wewnętrzne kaukaskie porachunki. Taki Niemcow może zginąć, bo Czeczeńcy go nie lubili, i nie ma na to rady. Mamy strukturę militarną, na której się można oprzeć w szerszej skali, czyli Rosgwardię i jej szefa Zołotowa. Czyli byłego szefa ochrony Putina. I mamy Prigożyna od różnych brudnych robót w wersji eksportowej.

Ramzan Kadyrow

WJ: Ojciec Ramzana Kadyrowa, Achmat najpierw walczy przeciwko Rosji, a później przechodzi na stronę Rosji. Jak było naprawdę? To była agentura, zdrada czy też bardzo typowe dla Kaukazu płynne przechodzenie z jednej strony na drugą?

HG: Myślę, że to ostatnie. To zresztą jest niesłychanie charakterystyczne dla stosunków kaukasko-rosyjskich, to jest uświęcone tradycją.

Achmat jest wówczas najważniejszą postacią w czeczeńskiej układance. Na nim się wszystko opierało. Jako mufti miał autorytet duchowy, ale miał też autorytet frontowy, bo przeszedł pierwszą wojnę czeczeńską i dobrze sobie w niej radził, walcząc z Rosjanami. Co Putinowi nie bardzo się podobało, Achmat Kadyrow stał się zbyt silny. Ale prawdziwy problem miał Putin potem, zastanawiał się, czy bomba, od której zginął, była podłożona przez Czeczeńców, czy przeznaczona dla Kadyrowa, czy też czekano na większą rybę? Może to miał być odwet na władzach rosyjskich i czekano na Putina? Po tym wybuchu Putin się zdecydował na natychmiastowy lot do Groznego. I wtedy nastąpił dziwny moment, prezydent usiadł obok pilota i kazał mu zrobić kilka kręgów, nie pozwalając przez jakiś czas lądować. Jeden z moich kremlowskich znajomych powiedział wówczas: „A może Władimir Władimirowicz nie był przekonany, że to był ładunek czeczeński...?".

WJ: No dobrze, to co sugerujesz, że co to było?

HG: Sądzę, że jednym z powodów faworyzowania Ramzana przez Putina była obawa, że być może jest tam jakiś przyczółek wspierający jego wrogów, być może wcale nie z Kaukazu, lecz z Moskwy. Ta interpretacja zakłada, że Putin był gotów traktować zamach na Achmata Kadyrowa jako próbę zamachu na siebie samego. Następuje później taka wymowna scena ojcowskiego przyciskania przez Putina do piersi zagubionego, młodego Ramzana. Ramzan trzydziestki nawet nie miał, bo nie mógł wówczas kandydować na stanowiska państwowe. To była jakby duchowa adopcja.

WJ: Wyjaśnijmy pomysł na spacyfikowanie Czeczenii. Najpierw siła, a później zalanie tej Czeczenii pieniędzmi...

HG: Oraz całkowita atomizacja starej struktury klanowej. Postawienie na tę część struktury klanowej, która się opowiedziała po stronie Kadyrowów. Likwidacja konkurencji, postawienie na naszych, poszerzenie ich uprawnień, przekazanie im pełni władzy. Żeby ta pełnia władzy zaistniała, potrzebne są trzy rzeczy: skorumpowanie społeczeństwa, gigantyczne środki federalne na odbudowę oraz daleko posunięta autonomia religijna z rosnącą rolą szariatu. To jest potrzebne, żeby Czeczenia, która miała być pasem transmisyjnym wahabitów na Rosję, stała się nawet nie buforem, ale rubieżą obronną – swoistym bastionem – przeciwko wojowniczym odłamom islamu.

WJ: W związku z tym musi stać się bardziej islamska?

HG: Oczywiście, stąd ten akcentowany bardzo mocno islam Kadyrowów. Ojciec się na tym świetnie znał, był znakomicie przygotowany teologicznie. Ramzan w ogóle do tego nie jest przygotowany. Dla niego ważne jest co innego: związanie z władzami Rosji – z Putinem przede wszystkim – na wszelkie możliwe sposoby, daje mu pełnię władzy...

WJ: W ramach tej pełni władzy pozwala się Kadyrowowi na zlikwidowanie jego przeciwników, łącznie z Czeczenami, którzy służą w rosyjskich służbach.

HG: Więcej. I nagle się okazuje, że w ramach porachunków można odstrzelić oficerów FSB i to w samej Moskwie. Nie ma żadnych śledztw na serio, ponieważ wszystko na to wskazuje, że stali za tym ludzie Kadyrowa, traktowanego przez Putina trochę jak taki cyngiel. Jest zatem na Kremlu capo di tutti capi i ma swojego egzekutora. Rozrzut jest szeroki, bo z jednej strony giną Czeczeńcy, którzy potencjalnie zagrażają Kadyrowowi, a z drugiej dziennikarka Anna Politkowska, no i wreszcie Borys Niemcow – charyzmatyczny i popularny opozycyjny polityk. Za każdym razem mamy czeczeński ślad. W zamian za takie „usługi" pozwala się na faktyczne usunięcie jurysdykcji rosyjskiej z republiki.

WJ: Jest moment, w którym Czeczeni zaczynają się w Moskwie zachowywać, jakby...

HG: Jeżeli mogą strzelić do byłego wicepremiera i go zabić, to czują się bezkarni.

WJ: Do tego dochodzą najprawdopodobniej kontrabanda, handel narkotykami... Jak pomyślę o tym, jak wygląda dziś Kadyrow i jego otoczenie, mam skojarzenia z teledyskami gangsta rapu sprzed dwudziestu lat, kiedy czarnoskórzy raperzy, obwieszeni łańcuchami, jeżdżą chmarami rolls-royce'ów. Jedna jedyna różnica, że w tych teledyskach są jeszcze mocno rozneglizowane panie, a tutaj nie ma kobiet. Za to są karabiny. Ramzan staje się carem, cesarzem, cezarem. Wolno mu wszystko. Ostatnio zaczął być gwiazdą mediów społecznościowych, przy czym stał się karykaturalny, bo ma taki dziwny tik, co drugie słowo mówi: don.

HG: Może naczytał się niezdrowych lektur o Italii, o mafii... Don Ramzan?

WJ: W jednym z prestiżowych zachodnich tytułów występuje jako kandydat na prezydenta Rosji. Czy to jest podobny przypadek jak z Dmitrijem Miedwiediewem, czy oni aż tak jeszcze nie oszaleli?

HG: W przeciwieństwie do Miedwiediewa Kadyrow posiada pewne realne, aczkolwiek liczebnie niewielkie, zaplecze do rozprawy z konkurentami...

WJ: Ale już nie z Ukraińcami.

HG: Jak widać...

WJ: Słynne były jego zdjęcia na stacji benzynowej, gdzie modlił się obok ustawionego karabinu maszynowego. Twierdzono, że zdjęcie zrobiono w Ukrainie, ale potem okazało się, że stacja należała do sieci, której w ogóle nie ma w Ukrainie.

HG: To były dekoracje, oczywiście. On w tym wszystkim się pogubił. Mimo skromnego wykształcenia jest już wielokrotnym doktorem nauk i profesorem, jest wielogwiazdkowym generałem w oficjalnych rosyjskich strukturach wojskowych, jest wybitnym komentatorem myśli proroka Mahometa, pozwala sobie na roztrząsanie problemów geopolitycznych i historiozoficznych. Istnieje jedno wyraźne podobieństwo między nim a Miedwiediewem: jeden pije, a drugi pali. Zwracam tylko uwagę, że odwoływanie się do odurzających środków w tradycji regionu wygenerowało niegdyś otoczoną złowrogą legendą sektę islamską, czyli asasynów. Co oni robili? Cały czas kurzyli jakieś zioła. Przecież jak my go oglądamy, to bardzo często powstaje wrażenie, że jest solidnie napruty. Ta spowolniona wymowa, te opadające powieki... To, że on nie zawsze mówi zbornie, niekoniecznie musi oznaczać stan odurzenia, bo złośliwi twierdzą, że stary Achmat Kadyrow inwestował w starszego syna, który zginął, a nie w młodszego. Ramzan to prostak, taka jest prawda. Aż dziwne, że jest to syn ojca, który miał rozmach i, jak to się mówiło w rosyjskim żargonie, „fakturnyj był mużyk" (czyli po naszemu: miał gość format).

WJ: Czy w Moskwie, jeżeli wyobrazić sobie Patruszewa, Naryszkina, Putina, Ławrowa, Szojgu, którzy przy przysłowiowym kieliszku herbaty – czyli koniaku – układają sobie przyszłą kremlowską układankę, to czy ktokolwiek z nich myśli o Ramzanie Kadyrowie w jakimkolwiek kontekście innym niż lokalny watażka? Czy opowieści o nim jako o potencjalnym delfinie należy traktować w ogóle na poważnie?

HG: Nie, z pewnością nie. Poza tym, co jest najistotniejsze i co jest swoistym requiem dla jego ambicji, gdyby on je miał, to jest muzułmanin, społeczeństwo rosyjskie, a zwłaszcza elita nigdy by tego nie zaakceptowała. Zaś ta najważniejsza elita, wywodząca się ze służb, może cyngla czasem nagrodzić, ale nigdy nie potraktuje go jako równego sobie.

Oligarchowie

WJ: Gdy mówi się o rosyjskiej oligarchii, zazwyczaj zaczyna się od tego, jak powstawała w latach dziewięćdziesiątych. Proponuję, byśmy zrobili inaczej i zaczęli od momentu, gdy Roman Abramowicz rozwodzi się ze swoją drugą żoną. Abramowicz był wyceniany na jakieś pięćdziesiąt miliardów dolarów mniej więcej. Rosyjskie media pasjonują się wówczas tym, czy rozwód będzie w Londynie, czy w Moskwie. W Londynie żona mogłaby dostać połowę majątku, ale ona rozwodzi się w Moskwie i zadowala się mniej więcej dwoma procentami majątku. Prawda, że fascynujący wątek?

HG: I jakże polityczny.

WJ: Co nam to mówi o pieniądzach Romana Abramowicza?

HG: Żona wolała nie tknąć więcej niż dwa procent. I pewnie nie Romana Abramowicza się bała. Rozumiała, że to nie są jego pieniądze, ale ludzi znacznie potężniejszych. Kiedy zaczęły się konfiskaty mienia i mrożenie środków na Zachodzie, Fridman i Abramowicz próbowali ratować swoje środki, deklarując, że wojnę trzeba skończyć, a oni oferują swoje pośrednictwo. Ale w Rosji nikt nie mrugnął nawet okiem.

WJ: Czyli to nie były ich pieniądze?

HG: Albo im wytłumaczono, że nie są ich. Opowiem taką historię. Kiedyś pożądane i ważne płótno trafiło do Ermitażu praktycznie z dnia na dzień. Zapytałem jakim cudem, a dyrektor Ermitażu na to: „Władimir Władimirowicz poprosił naszego dobrodzieja". Prezydent kraju wydaje dyspozycję: „Ty teraz kupisz to, a ty kupisz tamto". Inny przykład tego rodzaju to miliard utopiony przez Deripaskę na kontynencie północnoamerykańskim, kiedy na Kremlu wymyślili sobie, że przejmą część przemysłu ciągnikowego w Kanadzie. Potem się okazało, że Deripaska musi się z tego wycofać, tracąc straszne pieniądze. Nawet nie pisnął. Wyobrażamy sobie rosyjskich miliarderów na wzór zachodni, takich wpływowych jak Musk czy Bezos, odgrywających rolę w polityce, naciskających na instytucje.

WJ: W Rosji są to ludzie na usługach?

HG: W jakimś stopniu tak. Oni nawet dostają polecenia w sferze polityki. Oligarcha Prochorow na polecenie Kremla zakładał kiedyś centroprawicową partię. Ale nie potrafił nią zarządzać. Powstał konflikt z Surkowem i oligarcha został z własnej partii wyrzucony.

WJ: Czy można powiedzieć, że oligarchowie, którzy mieli własne ambicje polityczne, a nie cudze, to Borys Bieriezowski i Michaił Chodorkowski?

HG: Oraz Gusiński.

WJ: Jeżeli mielibyśmy scharakteryzować Gusińskiego, Chodorkowskiego i Bieriezowskiego, to łączy ich po pierwsze to, że mieli własny pomysł na Rosję, oraz po drugie to, że dokładnie dlatego wszystkich bardzo szybko wykończył Władimir Władimirowicz Putin.

HG: Bez wątpienia. W ciągu tych dwudziestu paru lat poza tą trójcą nie sposób wskazać osoby o samodzielnych i własnych ambicjach. Prochorow to światło odbite, dał sobie wmówić, że ma talent i może zostać politykiem. Abramowicz, jak mu Putin kazał, został gubernatorem Czukotki i ją finansował.

WJ: Spotkałem się kiedyś z powiedzeniem, że za czasów Jelcyna oligarchowie kopniakiem otwierali drzwi na Kremlu, a teraz Kreml dzwoni do oligarchów i wzywa ich przed oblicze.

HG: Trochę prawdy w tym jest.

WJ: Okres jelcynowski to jest czas, kiedy ktoś zupełnie przypadkowy mógł sobie nakraść?

HG: Niekoniecznie przypadkowy, ale rzeczywiście rozkradanie majątku było bardziej, nazwijmy to umownie, „demokratyczne". Zwróć uwagę na zupełnie odmienne genealogie Jelcyna i jego ekipy oraz Putina i jego ekipy. Ekipa Jelcyna na początku jest złożona z prowincjonalnego aparatu, który w Moskwie zaczyna się rozpychać. Zdaje egzamin polityczny w czasie puczu Janajewa i przejmuje państwo jako trofeum. Rozwijająca się obok sfera biznesowa jest dla odmiany bardzo mocno związana ze służbami, czyli jest niejako naturalnie bliższa Putinowi. Ale aparat jelcynowski na początku nie jest związany ze służbami, raczej ma pomysły na rozbicie tych służb.

WJ: Cała ówczesna oligarchia jest powiązana ze służbami czy jest większy pluralizm?

HG: Jest większy pluralizm, bo środowisko jelcynowskie usiłuje wspierać również mniejszy, rodzinny biznes i odgrywa pewną rolę przy tworzeniu biznesu niezależnego od środków uwłaszczających się służb. Ale w pewnym momencie pokusa utrzymania władzy jest tak silna, że całe zaplecze polityczne Borysa Nikołajewicza szuka przełożenia na duży biznes. Wtedy pojawiają się w kręgu Kremla osoby, które się już wzbogaciły i uwłaszczyły, takie jak Gusiński i Bieriezowski. Umocnienie się Putina na Kremlu od razu oznaczało pacyfikację ambicji oligarchów. Gusiński i Bieriezowski nie od razu zrozumieli, że ich czasy się skończyły. Deripaska i Abramowicz zrozumieli to w lot i pośpieszyli z darami i hołdem.

WJ: Jednym z uzasadnień obejmowania po 24 lutego 2022 roku oligarchii rosyjskiej sankcjami było przekonanie, że oni przez te sankcje wpłyną na Władimira Putina, by wojnę zakończył.

HG: Oczekiwanie od kasjera, że będzie miał wpływ na prezesa, jest po prostu nieporozumieniem.

WJ: Nie generalizujesz trochę?

HG: Pokaż mi choć jednego z nich, który ma rzeczywiście wpływ na Putina.

WJ: No to spójrzmy na to z drugiej strony. Są oligarchowie, którzy są w miarę niezależni – na przykład Michaił Fridman za takiego uchodzi, ale gdy tracą dostęp do swoich środków na Zachodzie, to w zasadzie zostaje im tylko jeden gwarant, że cokolwiek jeszcze uratują, i zamiast wystąpić przeciw Putinowi, skupiają się wokół niego. To może te sankcje to nie był wcale dobry pomysł.

HG: Jeśli miały być karą, to były dobrym pomysłem. Jeśli miały dać efekt polityczny, to już niekoniecznie. Skoro jednak wspomniałeś o Fridmanie, to w niego ta wojna uderzyła przez sam fakt, że wybuchła. Pamiętajmy o bardzo mocnych związkach oligarchii rosyjskiej i ukraińskiej. Zwłaszcza w takich sferach, jak metalurgia, przemysł ciężki, przemysł chemiczny. Jest tajemnicą poliszynela, że już grubo po Krymie, w 2019 czy 2020 roku miał miejsce nieformalny zjazd oligarchów ukraińskich i rosyjskich w Nicei.

WJ: Musieli znaleźć jakąś formułę?

HG: Tak, usiłowali znaleźć modus operandi. Wymieniali się aktywami, robili wielostronne deale. Bo na przykład co zrobić w sytuacji, kiedy oligarcha ukraiński ma interesy na Krymie?

WJ: Fridman to jeden z najmądrzejszych chyba oligarchów.

HG: Tyle, ile mógł, wyprowadził poza granice ojczyzny. To jest przykład wielkiej, międzynarodowej kariery. Wśród oligarchów są tacy, którzy mają mocną pozycję, ale których interesy są całkowicie związane z Rosją.

WJ: Słyszałem o Fridmanie, że ponoć panicznie bał się latać, ale kupił sobie samolot na wszelki wypadek, dla jednego przelotu...

HG: Przypominam, że po lutym byliśmy świadkami wielu przemieszczeń oligarchów z Rosji, ale także między Londynem, Tibilisi, Lizboną, no i Tel Awiwem...

WJ: Tel Awiw, istotne lotnisko! Jeszcze Cypr...

HG: Myślę, że ta generacja, która zrobiła największe pieniądze w ostatnich dwudziestu latach, to są ludzie, którzy pod każdym względem znakomicie odrobili lekcję Chodorkowskiego. Nikt z nich nie zaangażował się nigdy w tworzenie partii, stronnictwa. Chyba że zostało mu to zlecone, tak jak Prochorowowi.

WJ: Czy można powiedzieć, że to są źli ludzie? Rosyjska oligarchia to są wielkoruscy szowiniści czy ludzie, którzy są zmuszeni żyć w realiach wielkoruskiego szowinizmu?

HG: Ani jednego z rosyjskich milionerów nie mógłbym zakwalifikować jako wielkoruskiego szowinistę. Poczynając od Jurija Kowalczuka, tej złowrogiej postaci kremlowskiego układu. Ja go pamiętam jako osobę wręcz podkreślającą swoje ukraińskie korzenie, wspierającą ukraińskie inicjatywy kulturalne nad Newą, głoszącego konieczność współpracy Rosji z Europą i ze światem, potrzebę otwierania się. Miałem okazję jeszcze spotkać paru oligarchów z pierwszej setki i nigdy żaden z nich nie wypowiedział frazy, którą mógłbym zakwalifikować jako erupcję haseł szowinistycznych.

WJ: Giennadij Timczenko to jest przykład oligarchy już stricte putinowskiego, prawda? Człowiek, który dostaje licencję na eksport paliwa od Putina w roku 1991, a później staje się traderem rosyjskich surowców energetycznych.

HG: Jest absolwentem szkoły wojskowej, co zdeterminowało początek jego kariery. Jest tylko o rok młodszy od Putina. W branży paliwowej mocno się zakorzenił jeszcze przed przyjściem Putina do Smolnego. Od 1990 roku zaczyna się jego bardzo wierna współpraca z ekipą Smolnego, drogi z Putinem się krzyżują, dostaje koncesję, a tak naprawdę wyłączność na eksport surowców energetycznych. Na północnym zachodzie, gdzie mamy wylot na Wyborg i Helsinki, to jest po prostu gigantyczny interes.

WJ: A Deripaska?

HG: To jest dopiero kariera! Zresztą – kolejna ze służbami w tle. Służba wojskowa w strategicznych wojskach rakietowych (siły nuklearne), a później ponoć kierowca i ochroniarz ambasadora w Gwinei, skąd, jak rozumiem, przywiózł słabość do boksytów. Wyróżnia się tym, jak szybko zarabiał i jak szybko tracił pieniądze. Czy ktoś może wytłumaczyć, dlaczego w latach 2008–2018, a więc jeszcze przed wybuchem wojny, jego majątek się skurczył z dwudziestu ośmiu miliardów do siedmiu miliardów dolarów? Deripaska należy również do grupy bardzo mocno związanej z Kremlem i to już od czasów jelcynowskich. Był używany do ewidentnych operacji gospodarczych, ale również do specjalnych operacji niekoniecznie biznesowych, chociaż można to podciągnąć pod biznes.

WJ: Wspominałeś Kowalczuka.

HG: Najważniejsza postać w tej układance.

WJ: Dlaczego?

HG: Cały czas ma bez wątpienia poważne wpływy polityczne i ma syna, o którego przyszłości myśli. Kowalczuk wszedł w kontakt z Putinem bardzo wcześnie, bo widać go na horyzoncie Smolnego już od 1990 roku. Nigdy nie starał się zagarnąć dla siebie wielkiego kawałka tortu, raczej rozwijał biznesy drugiego planu. Muszę powiedzieć, że na tle tych milionerów, z którymi miałem okazję się zetknąć, to osobowość robiąca wrażenie. Podobno był jednym z tych nielicznych, którzy w czasie pandemii zachowali bezpośredni dostęp do prezydenta, ba, ponoć zaopatrywał go w lektury. Jedno jest pewne: Putin, niejednokrotnie wypowiadający się ironicznie o swych dawnych kompanach oligarchach znad Newy (słynne „dwóch Żydów i jeden chochoł" – to o braciach Rotenbergach i Timczence), dla Kowalczuka miał zawsze tylko komplementy...

WJ: Kowalczuk inwestuje w ukraińskie projekty kulturalne, a równocześnie właśnie jemu przypisuje się pomysł podbicia Ukrainy. Chciał zostać królem Ukrainy? Czy to nam coś mówi o charakterze rosyjskiego imperializmu?

HG: Burżuazja kompradorska. Idzie w służbę opresyjnego, zaborczego państwa, bo się znakomicie w tym odnajduje, dostaje swój kawałek władzy, wpływów...

WJ: Czy to nie jest tak, że Rosjanie byliby w stanie kochać Ukraińców, niech sobie chodzą nawet w tych wyszywankach, byleby zawsze pamiętali, że Rosja jest starszym bratem...

HG: Przypuszczalnie Kowalczuk należy do grupy, która w ogóle nie zrozumiała istoty konfliktu, ponieważ Ukraina mentalnie jest dla nich częścią Rosji. 2014 rok oczywiście zburzył cały ten model Ukrainy jako Małorosji. Kowalczuk jest zbyt inteligentnym człowiekiem, żeby z tego nie wyciągnąć wniosków, ale z drugiej strony on na tym ani nie zyskał, ani nie stracił, co najwyżej jego dacza na Krymie stała się bardziej rosyjska, niż była przedtem. Natomiast czy sensowne jest łączenie go z opcją wojny, uważanie go za jednego z ideologów wojny? Ja bym go zaliczył raczej do tych umiarkowanych państwowców, którzy woleli uzyskać jak najwięcej jak najmniej drastycznymi środkami nacisku.

WJ: Oligarchowie mogą obalić Putina?

HG: Raczej Putin może „zdezoligarchizować" oligarchów.

WJ: Ale jak Putina zabraknie, to mogą zdeputinizować Rosję?

HG: To możliwe, bo wszyscy za dużo stracili, gdy zamiast prezydenta na Kremlu zasiadł car.

Aleksander Dugin

WJ: To teraz zajmijmy się człowiekiem, którego czasem nazywa się w mediach „ideologiem Putina", czyli Aleksandrem Duginem.

HG: Czy możemy się nim zajmować proporcjonalnie do jego realnego, a nie przypisywanego mu znaczenia? Choć oczywiście śmierć w zamachu jego córki i fakt, że jak podał „The New York Times", za zamachem stali Ukraińcy, nieco przeczy temu, ale na pewno nie był nigdy Dugin aż tak wpływowy, jak to przedstawiano. Z byciem ideologiem też jest pewien kłopot, bo Dugin wiedzę ma, ale to jest – wbrew temu, co głoszą jego wyznawcy – wiedza nieusystematyzowana, nieuporządkowana, nierzucająca na kolana. Dugin najczęściej mówi od rzeczy, zwłaszcza ostatnio, i nie jest to bynajmniej wpływ osobistej tragedii. Ot, fragment jednej z jego niedawnych wypowiedzi: „Pierwszy raz w swych dziejach Rosja prowadzi wojnę absolutną. (...) Pierwszy raz po tamtej stronie – ZŁO ABSOLUTNE, nie częściowe, nie relatywne. (...) To ostatnia wojna ludzkości, w której po stronie Prawdy zdecydowanie opowiedziała się tylko Rosja. Sama nie pojmując jak, ale przecież do tego stworzeni zostaliśmy przed wiekami". Cały ten eschatologiczny bełkot kończy mistyczna konstatacja, skądinąd jawnie antychrześcijańska: „Historia to ruch od jednostki ku jej podwojeniu. Na początku był tylko Adam, a na końcu będzie ich dwóch: Adam i jego ciemne wcielenie".

WJ: No, brak sensu akurat nie jest jakimś szczególnym felerem. To ogólnie znana przypadłość fascynatów geopolityką – u nas zresztą też. Sam fakt, że ktoś chce objaśnić cały, bardzo złożony przecież świat, za pomocą jednej teorii stosunków międzynarodowych, z góry podpowiada, że mamy do czynienia z hochsztaplerem, szaleńcem albo głupkiem. Kim tak realnie jest Dugin?

HG: Dugin to jest – jak by to ładnie ująć – zasłona dymna, parawan ideowy. Jeden z wariantów wieloelementowej, obrotowej scenografii na rosyjskiej scenie politycznej i ideologicznej. Jeden z tych, do których można się na różnych etapach odwołać. Swoiste alibi ideowo-intelektualne.

WJ: A czy to nie jest tak, że ta scena do któregoś momentu była obrotowa, a teraz ten mechanizm się zatrzymał i został tylko Dugin?

HG: Tak nie jest, bo ostatnio Putin dla odmiany częściej się do nieboszczyka Iljina – skądinąd białego emigranta i sympatyka faszyzmu – odwoływał. Co prawda Surkow, jak wieść gmina niesie rzeczywisty inspirator tego zamysłu, jest w areszcie, ale Putin sobie wyciągnął stare notatki z biurka, bo Iwana Iljina to mu właśnie Surkow przyniósł razem z „suwerenną demokracją".

WJ: Iljina, czyli człowieka, który fascynował się Mussolinim i Hitlerem i nienawidził zachodniego liberalizmu.

HG: Owszem, aczkolwiek też mocno przecenianego jako rzekomo „ulubionego filozofa Putina", bo przecież Putin nigdy go samodzielnie nie zgłębiał. No cóż, Dugin nie może zmonopolizować całej przestrzeni ideowej, bo na tym wszak to polega, że ideologie są dodatkiem, a nie podstawą. Sam Dugin to jest taki epigon eurazjatyzmu niemający wszakże takiej wiedzy o Azji, jaką miał na przykład Lew Gumilow, który jest twórcą i guru tej koncepcji. Dugin wymyślił sobie teorię opartą na dosyć prostych zasadach. Po pierwsze, że ma się zrealizować – i on to traktuje jako imperatyw – sojusz euroazjatycki, dzięki któremu Rosja będzie prawdziwym wszechświatowym imperium, zresztą jedynym. Wtedy Rosja spełni swoją misję dziejową. Żeby to wykoncypować, Dugin przebył długą drogę, bo najpierw twierdził, że musi powstać w procesie dziejowym czwarta siła. Był liberalizm, był socjalizm, był faszyzm, no i teraz eurazjatyzm, czy też duginizm. Pankontynentalne mocarstwo łączące najlepsze cechy – jak to się mówi – samobytnej Rosji, nieskażonej zepsuciem Zachodu, oraz najlepsze tradycje Wschodu. Z Bizancjum weźmiemy – jak on twierdzi – symfonię władzy, czyli koncert władzy świeckiej z kościelną, religia ramię w ramię z ideologią państwową. Ze Wschodu także to, co ostatecznie zrodziło w Rosji kult jednostki, czyli sakralny charakter przywódcy. Rzeczywiście wiele z przeszłości Rosji pasuje do tej układanki. Moskwa, trzeci Rzym i cezaropapizm.

WJ: A z Zachodu co weźmiemy?

HG: Ziemię i trybut, gdybyśmy się w dużym stopniu na Zachód poszerzyli. On przeciwko Polsce osobiście nic nie ma, ale jego zdaniem Polska musi zniknąć. W jego modelu nie ma miejsca na Polskę, taka jest logika dziejów, granica z Europą, z Niemcami ma być na Odrze.

WJ: Czytając Dugina, miałem zawsze wrażenie – bo mnie nigdy teoretyzowanie w życiu nie interesowało – że to jest, proszę o wybaczenie, jeden wielki bełkot. Z czego skądinąd wynika, że fascynować się Duginem może tylko idiota.

HG: Ależ oczywiście, to jest bełkot! Po tragicznej śmierci jego córki nastąpiła, zwłaszcza w mediach, recydywa zainteresowania Duginem. Ja się zawsze sprzeciwiałem opowieściom, że to jest główny ideolog władzy. Uważałem, że jest jedną z kilku postaci, które się wyciąga w zależności od sytuacji. Jest Gumilow, jest Sołżenicyn, a jak trzeba, to pojedziemy Dostojewskim, z którego zrobimy ideologa. Jest jeszcze Iljin i paru innych. W sensie filozoficznym Dugin kojarzy mi się z ukochaną zupą Rosjan, czyli solianką, a dokładnie to „sborną solianką", czyli zupą...

WJ: ...skądinąd pyszną...

HG: ...wspaniałą. W każdym razie zupą, do której się wrzuca wszystko, co ma się pod ręką. W 1997 roku Dugin pisze książkę o tematyce wymagającej bardzo chłodnego, racjonalnego rachunku. Ale to jest facet, który siada do pisania takiej książki, zajmując się po drodze okultyzmem i ezoteryką.

WJ: I przeżywając fascynację hitlerowskim SS...

HG: I to jeszcze jaką! Kult Waffen-SS to jest fascynacja, która nijak się ma do kamienia założycielskiego dzisiejszej świadomości rosyjskiej i głównego elementu państwowej polityki historycznej.

WJ: Odchodząc na moment od Dugina, a przechodząc do Iljina, którego – jak już powiedziałeś – przyniósł Putinowi Surkow i to wtedy, gdy Putin jeszcze udawał człowieka cywilizowanego, ergo – Iljin mu jeszcze potrzebny nie był. Wynikałoby z tego, że Surkow nie podążał za Putinem, a go wyprzedzał. Otóż często miałem wrażenie, że jest jeszcze jedna postać, jeden człowiek, który Putina wyprzedzał, a mianowicie Aleksander Grigoriewicz Łukaszenka.

HG: Mogę się z tym zgodzić. To jest ten Iwanuszka duraczok, prostaczek, który w wielu sytuacjach okazuje się chytrzejszy i od popa, i od bojara. Tyle że zestawienie go z Surkowem oznacza porównanie cwanego chłopka-roztropka i polityka wizjonera.

WJ: Zostałem kiedyś zapytany przez jednego z naszych polityków, jaka jest ideologia Łukaszenki. Odpowiedziałem, że ideologią Aleksandra Łukaszenki są rządy Aleksandra Łukaszenki. Mówiliśmy o tym, w co wierzy Surkow, zastanawiamy się teraz, w co wierzy Dugin, a jak jest z Putinem?

HG: Moim zdaniem Putin wierzy wyłącznie w siebie. Surkow wierzył w Rosję (zwłaszcza taką, którą sobie wyimaginował), a Putin wierzy w siebie.

WJ: W siebie jako twórcę potęgi Rosji?

HG: Rosyjski mesjasz. Po największej katastrofie geopolitycznej XX wieku jak Mojżesz przeprowadzi swój naród przez wzburzone fale historii i doprowadzi do Ziemi Obiecanej, czyli takiego imperium, jakiego jeszcze nie było. No i tutaj już tylko krok do Duginowych wizji: Rosja jako ukoronowanie dziejów ludzkości! Tyle że to byłaby chyba korona cierniowa...

WJ: Czy to wszystko nie prowadzi nas do wniosku, że próba odtworzenia myśli, która przyświeca Władimirowi Putinowi, i jakiejś głębi ideologii jest z góry skazana na porażkę?

HG: W jakimś stopniu tak, choć dzisiaj to się, obawiam, już w końcu wykrystalizowało. Być może to jest po części odpowiedź na pytanie, dlaczego drogi Surkowa i Putina się rozeszły. Wyczerpała się przydatność Surkowa o tyle, że mając wizję budowania państwa, Surkow...

WJ: ...był gotów żonglować ideologiami?

HG: Dla niego Putin nie był urzeczywistnioną eschatologią, nie był końcem rozwoju ludzkości, po prostu on był daleki od ubóstwienia Putina. Obaj byli przekonani, że jeden używa drugiego, tylko cele były różne. Surkow chciał użyć Putina dla wielkości Rosji. A Putin Surkowa dla wielkości Putina. Natomiast jest jedna rzecz à propos Dugina bardzo ciekawa. W pewnym momencie Dugin dokonuje widocznego zwrotu i przechodzi na pozycje ultraprawosławne. Buduje swój telekanał Tsargrad, który wtedy nie szczędzi krytycznych wypowiedzi pod adresem oficjalnej Cerkwi, pod adresem patriarchatu, który jest ponoć za mało mistyczny i za mało propaństwowy. Tak czy inaczej, na czym polegają jego wpływy na Kremlu i w rosyjskim establishmencie? Nie na tym, że jest ulubionym ideologiem Putina, bo ustaliliśmy już, że nie jest. Jest jednym z wielu, do których Kreml w celach roboczych raz na jakiś czas się odwołuje. Czasem Dugin wysuwa się przed szereg, w 2014 roku powiedział, będąc wykładowcą MGU, że Ukraińców należy zabijać, zabijać, zabijać. Został wtedy wyrzucony z pracy.

WJ: Powiedział: „należy ich zabijać, zabijać, zabijać, jako profesor to mówię".

Cyryl i Cerkiew

WJ: Zajmijmy się Cerkwią, którą złośliwi nazywają wyznaniowym lub propagandowym departamentem FSB. To chyba sowiecka tradycja? Byli tacy, szczególnie chyba dwóch tu by trzeba wymienić, prawosławni duchowni, czyli ojciec Aleksander Mień i Gleb Jakunin, którzy wprost mówili, że Cerkiew była w istocie całkowicie zinfiltrowana przez KGB.

HG: Tradycja jest znacznie starsza, Cerkiew rosyjska od zarania państwowości moskiewskiej zawsze była głęboko zależna od państwa. Na żądanie władców samowolnie ogłosiła autokefalię, zrywając wielowiekową zależność od Konstantynopola. Dzięki szantażowi politycznemu carów doczekała się wprawdzie podniesienia do rangi patriarchatu, ale w epoce Piotra I została ostatecznie upaństwowiona – patriarchę zastąpił świecki urzędnik – oberprokurator Świątobliwego Synodu. Rozgromiona i skąpana we krwi pod rządami bolszewików, zaczęła się odradzać dzięki przymierzu zawartemu przez niedobitków hierarchii z Józefem Stalinem w obliczu hitlerowskiej agresji. Za cenę aktywnego włączenia się w propagowanie idei wojny ojczyźnianej, błogosłwienie jej jako świętej sprawy, Cerkiew rosyjska formalnie odzyskuje swój status, zaś urząd patriarchy zostaje odnowiony. (Warto pamiętać, iż dla Stalina, bądź co bądź wychowanka seminarium w Tyflisie, problematyka kościelna nie była enigmą!). Niemniej cena tego przymierza jest niemała: Cerkiew staje się instytucją utrzymywaną z budżetu państwa, poddaną permanentnemu nadzorowi politycznemu, doszczętnie zinfiltrowaną przez służby. Do rangi symbolu urasta fakt, iż w potocznym odbiorze poprzedni patriarcha Aleksy II funkcjonował jako „Drozdow" (kryptonim agenturalny z czasów współpracy z KGB), a obecny – Cyryl I – był przecież agentem KGB o pseudonimie „Michajłow", oddelegowanym do pracy za granicą (działał w Genewie, jako przedstawiciel ZSRR w Światowej Radzie Kościołów). Ostatnie dziesięciolecia niewiele w tej materii zmieniły: wojna w Ukrainie potwierdza, iż Cerkiew jest tubą propagandową państwa, jego instrumentem ideologicznym, za cenę potężnych ulg finansowych i wspieranie jej antyzachodnich fobii.

WJ: Czy ten element ideologii państwa rosyjskiego, czyli zwalczanie LGBT jako wielkiego zagrożenia, ta opowieść o zgniliźnie Zachodu, czy to jest jakiś element handlu wymiennego z Cerkwią, to znaczy: taka jest wasza ideologia, więc my to podchwycimy, a w zamian za to wy będziecie popierać państwo, czy też to jest granie na instynktach Rosjan i tu żadnego handlu nie ma? Kto kogo zaraził ideą?

HG: Myślę, że jednak państwo Cerkiew, bo się nagle okazało, że Cerkiew może być dodatkową tubą tej ideologii, że może się bardzo aktywnie włączyć w walkę ze wszystkim, co płynie z Zachodu. I tutaj wielką rolę odgrywa postać kiedyś mocno przyporządkowana Cyrylowi, która pod względem politycznych wpływów już go bodaj przerosła, która jest traktowana jako potencjalny sukcesor stolca patriarszego – mianowicie biskup Tichon Szewkunow, który od przynajmniej 2000 roku jest wyjątkowo bliski Putinowi. Tichon jest, albo przynajmniej był wówczas i było to afiszowane, spowiednikiem Putina i odgrywał w różnych politycznych operacjach pewną istotną rolę.

WJ: A czy jeżeli myślimy o wojnie w Ukrainie i o jej przyczynach, to czy jednym z takich momentów, który przeraził Moskwę, czy też uświadomił jej, że ona realnie traci Ukrainę, to nie była żadna umowa stowarzyszeniowa z UE, bo wówczas wszyscy rozumieli, że przyszłość unijną Ukraina ma w takiej mniej więcej perspektywie jak Turcja, ale ukraińska autokefalia?

HG: W dużym stopniu tak. Ale pozwól, że wrócę na chwilę do wątku agentury. Myśmy tu mówili o Aleksym, o Cyrylu i na tym tle rodzi się pytanie, czy skoro Cerkiew jest tak zblatowana z państwem, to czy istnieje dalej potrzeba utrzymywania agentury.

WJ: Bo można powiedzieć po co, skoro już stali się jednością.

HG: A wiesz kto przyprowadził przyszłego spowiednika Putinowi?

WJ: Nie mam pojęcia.

HG: Legendarny szpieg, generał-porucznik Nikołaj Leonow. Jest to ważna postać, każdy, kto interesuje się służbami rosyjskimi, zna to nazwisko. Otóż Leonow twierdzi, że to on przyprowadził Szewkunowa w bodajże 1996 roku Putinowi. Więc jest pytanie po co? Tutaj wiele rzeczy pasuje, bo mniej więcej krótko po tym Putin ochrzcił swoje dzieci, a niedługo po tym zwrócili się ku prawosławiu jego bliscy przyjaciele – bracia Kowalczukowie. Ale wracając do twojego pytania o Ukrainę. Dotknąłeś kwestii absolutnie fundamentalnej. Zawsze się mówi, że nie ma imperium rosyjskiego bez Ukrainy.

WJ: Słynne słowa Aleksandra Kwaśniewskiego.

HG: Ale to samo pisał sporo wcześniej Richard Pipes. To samo mówił niejednokrotnie Zbigniew Brzeziński. To jest pewna banalna wykładnia sięgająca sporu o to, czy Rosja przypadkiem nie stała się imperium w tym momencie, kiedy wygrała wojnę o Ukrainę z Rzeczpospolitą, a następnie domknęła swoją kontrolę nad Ukrainą po likwidacji autonomii kozackiej przy Piotrze I. Coś w tym jest. Tak czy inaczej Ukraina to jest nie tylko niezbędna część składowa imperium rosyjskiego. Ukraina była najważniejszą prowincją patriarchatu moskiewskiego, najliczniejszą owczarnią i, co jest paradoksalne, prowincją wnoszącą do kasy patriarchatu znacznie większe dochody niż cała reszta będąca pod jego jurysdykcją.

WJ: OK, tego jednego nie rozumiem w tym wszystkim. Ja nie widziałem za bardzo głębokiej wiary w Rosji.

HG: Mój Boże... Jest, była także w czasach sowieckich (Cerkiew katakumbowa), ale nie szukaj jej w zgiełku metropolii, na targowisku próżności...

WJ: Przepraszam, wiem, że to zabrzmiało strasznie niemądrze.

HG: No bo to, co widać na co dzień, jest fasadowe, to jest etnograficzne, to jest wiara w jajko i choinkę, zresztą skąd my to znamy. Jest w Petersburgu cerkiew Symeona i Anny nieopodal Akademii Teatralnej. To była kiedyś ukochana cerkiew mafiosów leningradzkich, petersburskich. I pamiętam święcenie pokarmów na Wielkanoc i nigdy nie zapomnę potu, którym się oblałem, kiedy niosący za żoną mafijnego bosa koszyczek ochroniarz się potknął, z kabury wypadł mu pistolet i uderzył o murek.

WJ: I wystrzelił?

HG: Nie, na szczęście. Ja stałem akurat zaraz obok, dlatego się zlałem potem. Widziałem tych rzekomo rozmodlonych. Wracając do Ukrainy. Gdzie jest owo baptysterium Starej Rusi, gdzie przyjął chrzest Włodzimierz Wielki? To przecież Chersonez, zatem to Krym jest właśnie wspólną chrzcielnicą Ukrainy i Rosji i o to cały czas gramy. Wielokrotnie powtarzał to Cyryl. On, żeby nie utracić Ukrainy, decyduje się na rzecz, która przy jego skądinąd niewątpliwych talentach dyplomatycznych była, moim zdaniem, całkowicie chybionym gestem politycznym. Przecież on wziął oficjalnie udział w intronizacji prezydenckiej Wiktora Janukowycza, on się wybrał tam z błogosławieństwem. I zostało mu to zresztą później wypomniane.

WJ: I znów, co jest jajkiem, a co jest kurą? Rosja czy Cerkiew?

HG: Cerkiew rosyjska realizować może swoje ambicje tylko przy pełnym poparciu państwa. Mówię ambicje, bo nie chodzi już tylko o rządy w Rosji. Już Aleksy II, a w większej mierze Cyryl, grali o coś znacznie większego, co paradoksalnie mogło ich częściowo od Rosji uniezależnić. O wysunięcie Moskwy przed Konstantynopol na pierwsze miejsce w tym koncercie patriarchów w ekumenicznym Kościele prawosławnym. Walka szła o to, stąd te całe konflikty z Konstantynopolem, ale także naciski na dwa inne patriarchaty – Antiochię i Aleksandrię, i umizgi do pomniejszych Kościołów autokefalicznych. Historycznie od IV wieku wiadomo, że najważniejszy wśród Kościołów wschodnich jest Konstantynopol. Tymczasem Aleksy i Cyryl grali o to, żeby to Rosja zajęła pierwsze miejsce.

WJ: Czyli Moskwa.

HG: Tak, czyli patriarchat moskiewski, czyli Kościół rosyjski.

WJ: Dlaczego Cyryl tak jednoznacznie poparł napaść na Ukrainę? Przecież to oznacza, że rosyjska Cerkiew prawosławna nie ma żadnych szans, żeby odwojować Ukrainę?

HG: Najmniejszych. Mało tego – uruchomiono efekt domina. Zwróć uwagę, jak do uderzenia na Ukrainę odniosła się Cerkiew prawosławna w krajach bałtyckich, która jest przecież napędzana siłami tego, co jest oczkiem w głowie polityki moskiewskiej na tym obszarze, czyli mniejszości rosyjskiej. Ta Cerkiew na przykład w przypadku Litwy zwróciła się do Moskwy o wypuszczenie mniejszości rosyjskiej na wolność i danie jej autokefalii. Bardzo krytyczne stanowisko na samym początku zajął patriarcha Białorusi, czyli białoruskie duchowieństwo prawosławne. Dzięki poparciu agresji na Ukrainę jedność patriarchatu trzeszczy w szwach.

WJ: No dobrze, ale to by znaczyło, że jeżeli przez moment nam się wydaje, że następuje jakieś wyrównanie relacji Cerkwi i państwa, to tu mamy do czynienia w sposób całkowity z podporządkowaniem.

HG: Ponieważ wcześniej Cerkiew przegrała największą swoją bitwę. Cerkiew przegrała, i wiele to ją kosztowało w oczach państwa, walkę z Konstantynopolem, a de facto z Kijowem, o autokefalię. Cerkiew, która dopiero co była w ogródku i witała się z gąską, chciała wyjść na pierwsze miejsce w pentarchii patriarchów.

WJ: A nagle się okazało, że...

HG: Nagle się okazało, że stary, schorowany, chowany kilkakrotnie do grobu przez prasę rosyjską hierarcha Konstantynopola Bartłomiej okazał się mieć taki power, że przekreślił całą politykę Moskwy z Cyrylem na czele i pomagającym mu Hilarionem. I tutaj, nawiasem mówiąc, błędy są bardziej nawet po stronie Hilariona niż Cyryla. Ponieważ to Hilarion zapewniał, że postraszenie Konstantynopola spowoduje, że Konstantynopol nie da autokefalii Ukrainie. Jednym ze sposobów na straszenie Kościoła ekumenicznego było budzenie separatyzmu w różnych lokalnych ośrodkach. Ile tam poszło pieniędzy oligarchów? Ale Bartłomiej walnął pięścią w stół i powiedział, że nie wycofa się ze swych zamiarów wobec Ukrainy, nie odmówi jej autokefalii. Tam przecież były sceny symboliczne. Ta scena z tym wnoszeniem alkoholu do sali, że teraz się napijemy, i odmowa Bartłomieja. Tam jest ta scena, kiedy Bartłomiej w obecności...

WJ: Poczekaj, jaka scena? Kiedy?

HG: W czasie bezpośredniego spotkania Cyryla z Bartłomiejem, gdy moskiewski hierarcha udał się nad Bosfor, żeby przekonać patriarchę Konstantynopola, żeby nie dawać autokefalii Ukrainie. No więc Bartłomiej się żachnął i do tego toastu nie dochodzi. Mało tego, patriarcha ekumeniczny w obecności postronnych de facto obsztorcowuje Cyryla, pokazując mu, kto jest sprawcą kryzysu, pokazując palcem na jego najbliższego pracownika, Hilariona, mówiąc, że to on jest winny. Cyryl, który na Kremlu obiecywał powstrzymanie procesu cerkiewnej emancypacji Ukrainy, bo był przekonany, że dysponuje potężnymi atutami, wraca dosłownie z niczym i jest po prostu ośmieszony... Przegrał wszystko. Cyryl wyrzuca wprawdzie ze stanowiska Hilariona, ale wtedy właśnie zaczynają nabierać siły pogłoski o tym, że jest chory, pewnie lada moment umrze i że niebawem przyjdzie czas Tichona.

WJ: Dobrze, to jeszcze jedno pytanie na koniec. Czy Władimir Putin jest osobą wierzącą?

HG: Serio pytasz?

WJ: No nie. Tak z obowiązku.

HG: A on z obowiązku się modli.

Propagandyści

WJ: Jest taki czas, kiedy rosyjska telewizja była realnie naprawdę dobra. I nie tylko o kulturę, filmy, koncerty chodzi. Również publicystyka, choć zawsze mniej lub bardziej antyzachodnia, stała na pewnym solidnym poziomie, a symbolizował ją chociażby Władimir Pozner. Ten okres, gdy to wszystko było na poziomie, to była iluzja?

HG: Może nie iluzja, ale w tle było to, co dziś widzimy.

WJ: Przypomina mi się język, którego używano na przykład w stosunku do Czeczenów. Otóż jak ginęli żołnierze rosyjscy, mówiono, że „zginęli". Czeczeńcy nigdy nie „ginęli", tylko byli „likwidowani". Zostańmy jednak na chwilę przy Poznerze, bo choć on dziś jest już poza obiegiem, to jest jednak zupełnie kluczową postacią dla zrozumienia rosyjskiej telewizji. To człowiek, który uchodził za takiego jakby Rosjanina z zachodnim szlifem.

HG: Pozner to faktycznie legenda telewizji jeszcze sowieckiej, człowiek, który w czasach gorbaczowowskiej pierestrojki organizuje „żywoj most", czyli bezpośrednie połączenie...

WJ: ...żywe mosty, czyli bezpośrednie połączenia między studiami telewizyjnymi w USA i ZSRR, to był rodzaj dialogu amerykańsko-radzieckiego, gdzie publiczność zadawała pytania.

HG: Tak, legendarne są te mosty. Zdarzyło się, że Amerykanka zadaje pytanie: „A kak u was z seksom", a zasłużona, specjalnie wyselekcjonowana jako jej alter ego ze strony sowieckiej odpowiada: „U nas nie ma seksu i opowiadamy się kategorycznie przeciw niemu".

WJ: Ja myślałem, że to anegdota...

HG: Nie, to jest autentyczna historia – telemost Leningrad – Boston, widziałem archiwalne nagranie. Pozner ma wtedy pięćdziesiąt lat. Jest człowiekiem wychowanym w świecie, urodzonym w Paryżu, jego matka była Francuzką. Pozner to człowiek, który się bardzo swobodnie porusza po Zachodzie. We Francji, w Stanach i w Rosji czuje się jak u siebie. Głęboka wiedza o różnych kulturach i o ich specyfice pozwala mu być wybitnym znawcą win, prowadzić świetne programy edukacyjne i popularnonaukowe o kulturze Francji i innych krajów europejskich. Ale wszystko się kończy i Pozner całkowicie się wycofuje z mediów po aneksji Krymu. Jemu już wcześniej zdarzyło się kilka krytycznych wypowiedzi, ale jego wierna uczennica, która wychowała się w jego szkole...

WJ: Wierna uczennica?

HG: Otóż Pozner miał własną szkołę mediów. Obecna oberpropagandzistka putinowskich mediów – Margarita Simonjan – po studiach trafiła do szkoły Poznera i tam właśnie uzyskała pierwsze szlify dziennikarskie. To Pozner udzielił jej pierwszych nauk i wsparcia.

WJ: A co się stało takiego, że ta propaganda stała się tak straszliwie agresywna i prymitywna, czego doskonałym przykładem jest choćby Sołowiow, Skabiejewa...

HG: ...i jej mąż Jewgienij Popow... No cóż, to proste. Zmieniło się zapotrzebowanie i tyle.

WJ: Kim są ci, którzy tworzą tę propagandę? Co to są za ludzie? To skrajni cynicy, prowincjusze z awansu, którzy – trochę jak u nas w Marcu '68 – widzą szansę dla siebie w tym, co się dzieje?

HG: Sołowiow jest urodzony w Moskwie, natomiast Simonjan w Krasnodarze, Skabiejewa w Wołżskim. Simonjan i Skabiejewa to rzeczywiście prowincjuszki, „to widać, słychać i czuć".

WJ: Sołowiow jest urodzony w Moskwie, ale czy to cokolwiek zmienia, bo jak widać, nic nie zmienia nawet to, że emeryturę planował spędzić chyba we Włoszech, gdzie kupił nawet piękną willę.

HG: Nad samym jeziorem Como...

WJ: Krótko mówiąc, jest milionerem, który swoją emeryturę planuje na Zachodzie.

HG: Jego biografia jest zupełnie inna niż Skabiejewej czy Simonjan, bardziej jednoznaczna. Sołowiow pochodzi z rodziny żydowskiej, sam się zresztą deklaruje jako praktykujący wyznawca religii mojżeszowej, co nie przeszkadza mu w piątki występować w telewizji. Biografia niejasna, w 1990 roku świeżo upieczony doktor ekonomii, wykształcony w walącym się Związku Radzieckim, zostaje zaproszony jako wizytujący profesor i wykładowca na uniwersytet w Alabamie. Pamiętając ówczesne notowania – zwłaszcza w dziedzinie ekonomii – postradzieckich uczonych, jak dokopałem się tego amerykańskiego wątku w jego życiorysie, złapałem się za głowę. Po roku jego kontrakt w Stanach się kończy. I co się dalej dzieje? Sołowiow jeszcze dwa lata tam mieszka, prowadzi biznes, ma firmę consultingową, konsultuje przedsięwzięcia w budownictwie. Wraca stamtąd i otwiera w Rosji biznes, produkuje urządzenia dla dyskotek. Ma fabryki na Filipinach. To oznacza, że mamy kolejną osobę o nie do końca jasnym początku kariery (lub raczej – nader jasnym), osobę, która ląduje tam, gdzie nie miała prawa się znaleźć. Od biedy mogę uwierzyć w profesora w Alabamie, ale w rosyjskiego konsultanta amerykańskich firm budowlanych A.D. 1991 mającego własne przedsiębiorstwo w Stanach to przepraszam, ale nie wierzę...

WJ: Czyli znowu służby?

HG: Nie ulega wątpliwości. Do telewizji trafił ze względu na świetną znajomość języka angielskiego. Z tym swoim szlifem akademicko-amerykańskim został ściągnięty do programu, gdzie była potrzebna biegła znajomość angielskiego, a potem nagle został ważnym komentatorem.

WJ: Władza w rękach ekskagiebistów to jest władza szachistów, czyli ludzi, którzy co do zasady chcą mieć w zanadrzu kilka wariantów. Tymczasem Sołowiow, Skabiejewa prowadzą tak niebywale prymitywny agitprop, że władza, nawet jakby zechciała zmienić kurs, to nie miałaby jak tego przeprowadzić. Czy nie mamy do czynienia z sytuacją, w której ogon zaczął merdać psem?

HG: Myślę, że jest trochę inaczej. Od 2008 roku zaczyna się zwieranie szeregów, media zaczynają coraz bardziej mówić jednym głosem i w zasadzie trwa to aż do wiosny 2022 roku. Potem jednak coraz bardziej uwidaczniają się różnice w narracji oraz element histerii. Sołowiow zaczyna mówić o wojnie, domagając się drastycznych działań, Simonjan gubi się w pewnym momencie straszliwie, zwłaszcza że zapewniała, że nie będzie żadnej mobilizacji, i nagle jest mobilizacja. Co gorsza, mobilizacja okazała się instytucjonalną i organizacyjną kompromitacją struktur państwowych. Wtedy ona usiłuje wyjść przed szereg, udzielać odpowiedzi obywatelom i – jak sama powiedziała – zaczyna zastępować wojenkomat, czyli komisję poborową. Myślę, że to wszystko znaczy, że nastąpiła atomizacja – ograniczona, ale jednak – elity kremlowskiej. Oni są powiązani z różnymi środowiskami.

WJ: Czyli my, mówiąc o propagandzistach, nie mówimy o aktorach, tylko o marionetkach, które mają swoich „kukłowodow", którzy je prowadzą na sznurku.

HG: Oczywiście, w czasach radzieckich mieli Susłowa, potem Surkowa. A później przyszła chwila, gdy trzeba było naród odurzyć narkotykiem nienawiści. Ten bałagan w propagandzie dowodzi, owszem, pewnych napięć na Kremlu, ale zwróć uwagę, że różnice nie są jednak fundamentalne. Po prostu państwo się skupiło na czym innym, bo propaganda i tak szła swoim trybem, czyli nakręcała nienawiść, podtrzymywała narrację o akcji specjalnej itd. i na moment zabrakło nadzorcy.

WJ: A gdy wojna poszła nie tak, jak miała pójść?

HG: Wówczas zaczęli dopraszać osoby – ale z koncesjonowanego grona – których głosy krytyczne były jednak z góry zamówione. Tyle tylko, że nikt nie przewidział, że wśród koncesjonowanych i zaufanych osób pojawią się takie, które przemyślą dogłębniej sytuację i uznają, że czas uciekać z tego Titanica. Nad tym już nie byli w stanie zapanować.

Rozdział VI
Hierarchia

Witold Jurasz: Opowiedzieliśmy wcześniej o ścisłej ekipie wokół Putina. Teraz pospekulujmy, jak wygląda hierarchia władzy na Kremlu. Kto należy do dzisiejszego biura politycznego? Szojgu?

Hieronim Grala: Tak, to na pewno biuro polityczne. Jeżeli zakładamy, że biuro polityczne liczy jakieś osiem osób, on jest raczej w tej drugiej połowie stawki, gdzieś piąty, szósty. Mimo klęski wojny z wielu względów ciągle zajmuje solidną pozycję. Im bardziej bierze w skórę na Ukrainie, tym bardziej potrzebne są nowe projekty rozwojowe dla armii i tym większe pieniądze pójdą na armię. A jeśli pójdą wielkie pieniądze na armię, to beneficjentem tego układu będzie Szojgu.

Poza tym całe swoje życie przy Putinie zbudował na niekwestionowanej lojalności wobec niego. Nigdy go nie łączono z żadnymi dziwnymi ambicjami i próbami uczestniczenia w stronnictwach, szykujących kogoś do namaszczenia. Putin był jego religią.

WJ: Poza wszystkim zwolnienie Szojgu dzisiaj jest absolutnie niemożliwe. Gdyby Putin zwolnił Szojgu, to przyznałby, że coś nie tak poszło z wojną, a jako że to on bezpośrednio za nią odpowiada, to mówiąc krótko, powiedziałby: proszę zwolnić mnie jako następnego.

HG: Trzeba też zrozumieć, że minister obrony w strukturze władzy rosyjskiej to jest coś dużo więcej niż minister obrony w Polsce. Dużo więcej niż sekretarz obrony w USA. W hierarchii amerykańskiej sekretarz obrony nie ma żadnego bezpośredniego przełożenia na siły zbrojne. To jest cywilne kierownictwo, on nie podniesie jednym rozkazem całego wojska.

WJ: Czy w Rosji to jest na przykład odpowiednik szefa sztabu w pruskiej armii? Bo mówimy o państwie, które jest militarystyczne.

HG: To jest więcej niż szef sztabu w armii pruskiej, zdecydowanie więcej. To jest głównodowodzący. To jest realny zwierzchnik wszystkich sił zbrojnych, który ma nad sobą wyłącznie prezydenta.

WJ: Weźmy się za służby. To coś dużo więcej niż armia. W tej odwiecznej rozgrywce służb i armii czasy putinowskie przyniosły jednoznaczne zwycięstwo służb nad armią. Zresztą jak mówiliśmy, wojnę w Ukrainie zaprojektowały służby, a wykonała armia, której nie pytano o to, jak wykonać tę operację. I to jest przyczyna klęski.

HG: Używa się pojęcia „czekistokracja".

WJ: Służby to jest podstawa rosyjskiego państwa.

HG: Główny rezerwuar kadrowy państwa we wszystkich dziedzinach. Przecież zdecydowana część ważnych postaci życia gospodarczego, czołowych oligarchów, oni wszyscy mają w swoim życiu taki czy inny element albo flirtu ze służbami, albo przynależności.

WJ: Którą osobą w państwie jest Patruszew? Drugą?

HG: Możliwe. W pierwszej trójce na pewno. Jest na to dowód – przekazanie pełnomocnictw Patruszewowi, jak Putin się wybierał na operację. Jako szef Biura Bezpieczeństwa Narodowego on kontroluje służby. Jest ogniwem pośrednim między prezydentem a służbami.

WJ: Czy istnieje jakiś odpowiednik znaczenia Patruszewa w polityce, który czytelnik mógłby znać? Dla mnie, jeżeli mielibyśmy szukać jakichś analogii, to – toutes proportions gardées – Heinrich Himmler. Czyli to jest człowiek tak potężny, że musi się z nim liczyć sam wódz. Równocześnie tak sprytny, że nigdy nie rzuci wyzwania, chyba że tylko raz.

HG: Szukanie analogii z Himmlerem prowadzi nas w kierunku pytania, co po Putinie. Himmler w ostatnim okresie wojny prowadził rokowania z aliantami, więc ja bym nie wykluczał, że doczekamy się parlamentariuszy Patruszewa.

WJ: Tak, albo kogoś innego. Bo kolejnym politykiem niemieckim, który prowadził negocjacje, był szef wywiadu Walter Schellenberg. Czyli mamy Naryszkina.

HG: Ale dziś on wyleciał z ósemki. Dokładnie 24 lutego wyleciał.

WJ: Nie mam cienia wątpliwości, że on był przeciwko wojnie. Wspominaliśmy już, że te urywki z posiedzenia Rady Bezpieczeństwa, które mogliśmy zobaczyć, kiedy Putin go upokarza, są na to dowodem. Naryszkin rozumiał konsekwencje wojny. Ale Służba Wywiadu Zagranicznego, którą kieruje, to jest najbardziej profesjonalna i w pewnym sensie najgroźniejsza służba.

HG: Bo kieruje nią autentyczny profesjonalista. Taki Patruszew jest facetem, który zajmował się inwigilacją inżynierów, robotników, lekarzy i studentów prowincjonalnej Karelii. Natomiast Naryszkin to w swoim czasie aktywny, skuteczny szpieg. Jak już wspominaliśmy, człowiek wybitnie inteligentny, bardzo oczytany, bardzo europejski, z dużymi ambicjami kulturalnymi, cieszy się szacunkiem i poważaniem uczonych. Człowiek świetnie się poruszający za granicą, co wynika z jego wieloletniej służby.

WJ: I jedyny, który do dzisiaj ma kanały komunikacji z Amerykanami. Bo wiemy, że to Naryszkin rozmawia z Amerykanami.

HG: Tak, trzeba podkreślić jego notowania za oceanem i w Europie. Przypominam, że kiedy w Europie był już objęty sankcjami po aneksji Krymu, latał do Paryża. Poleciał też do Stanów na rozmowy z Pompeo w 2018 roku. Do dzisiaj nie do końca jest jasne, czemu były poświęcone. Według oficjalnego komunikatu rozmawiano o walce z terroryzmem, omawiano kwestie syryjskie itd., ale przecież nie o to chodziło! Zauważ: poleciało trzech czołowych siłowików, z czego dwóch było objętych sankcjami. Poleciał Naryszkin, ciężko chory szef wywiadu wojskowego Korobow i poleciał trzeci, który nie był objęty sankcjami – do dzisiaj nie rozumiem dlaczego – Bortnikow. Istny trójząb – wszystkie trzy służby poleciały w 2018 roku do Stanów coś negocjować, a przewodził Naryszkin.

WJ: I gdy się Rosjanom gospodarka zawali, to głos amerykański będzie ważny, czyli z kim my, Zachód, będziemy się w stanie dogadać, żeby odblokować wam choćby prawie czterysta miliardów dolarów zamrożonych środków.

Naryszkin poza tym ma najbardziej szczelną służbę, co jest też bardzo istotne, dlatego że FSB i GRU przeszły tyle rewolucji kadrowych, że nie sądzę, żeby Bortnikow czy Patruszew mogli spiskować w ramach swojej służby, nie mając pewności, że to natychmiast nie wycieknie. Wojsko jest w ogóle rozwalone, natomiast jeżeli istnieje jakaś służba, w ramach której można spiskować, mówić otwarcie, że trzeba by tego Putina w końcu wysłać w cholerę, to jest to ekipa Naryszkina. Przejdźmy do rozbójników. Prigożyn?

HG: Nie ma dla nas żadnego znaczenia, może być co najwyżej ochroniarzem w komitecie.

WJ: Jak się wrzuci w Google nazwisko Prigożyn, wyskakuje zdjęcie, jak on usługuje Putinowi przy stole. Teraz to on chciałby usiąść przy stole z Władimirem Władimirowiczem, a nie usługiwać mu. Ale jeżeli mu się uda usiąść przy stole, to będzie szczyt jego osiągnięć. To jest nobody. To jest również nobody w sensie finansowym. To jest absolutna miernota.

HG: Kadyrow to też żadne politbiuro.

WJ: Kadyrow przypomina mi małpiszona obwieszonego łańcuchami, takiego gangsta rap z lat dziewięćdziesiątych. Pamiętasz, w *Ojcu chrzestnym* jest taki zwykły gangus, Luca Brasi.

HG: Moim zdaniem Kadyrow to raczej Clemenza, pozornie dobroduszny, jowialny. Ale pamiętasz, jaki jest szczyt możliwości Clemenzy? Michael Corleone obiecał im, że dostaną swoje sektory, będą mogli założyć własne rodziny. I to idealnie pasuje.

WJ: Kremlowska elita, jakkolwiek nisko by upadła, nie pozwoli sobie na to, żeby jakiś Ramzan Kadyrow miał cokolwiek do powiedzenia. To Czeczeniec.

HG: Tak, po Stalinie oni już ani razu nie zaryzykowali nikogo spoza wielkoruskiego rdzenia.

WJ: Jest jeszcze jedna rzecz. Kadyrow w ramach swojej walki wewnętrznej w którymś momencie pozwolił sobie na mordowanie swoich przeciwników w centrum Moskwy. Elita kremlowska różne szaleństwa może popełnić, ale nie dopuści do realnej władzy ludzi, którzy są całkowicie nieprzewidywalni.

Opowiedzmy teraz o ludziach, którzy w krajach zachodnich są zwykle grupą najsilniejszą, czyli o ekonomicznej i gospodarczej elicie. Podstawową postacią, jeżeli mówimy o tej sferze, jest Elwira Nabiullina. Osoba, która w warunkach sankcji ocaliła póki co rosyjską gospodarkę przed krachem. I walutę też obroniła. Czystej wody technokratka.

HG: Dziś osobą trzymającą pieczę nad szeroko pojętą gospodarką jest właśnie ona.

WJ: Kolejną potężną grupą są gosoligarchowie, czyli państwowi oligarchowie, razem z nimi tam są gosmenedżerowie, czyli ci, co pomagają tym zarządzać, ale nie mają aż takich pieniędzy.

HG: Ale jest w tym otoczeniu, i to dla nas ma znaczenie przy rozmowie o biurze politycznym, kategoria prywatnych oligarchów. W tej ósemce mamy nazwiska ludzi z wielkiego biznesu. Mamy cały czas Kowalczuka, być może jeszcze mamy Arkadija Rotenberga, z kategorii gosoligarchów mamy Sieczyna i Czemiezowa. Ideologia ideologią, siłowiki siłowikami, ale to jest fundament obozu władzy i środowisko bardzo mocno związane z Putinem. Jak trzeba załatwiać sprawy natury rodzinnej, pomagać w transferach, to przez długie lata niezastąpiony był Timczenko. Jak prezydent zamyka się na daczy, bo jest pandemia, z nikim się nie chce widzieć, to Kowalczuk mu pod pachą książki nosi. A jak się okazuje, że trzeba rozstrzygnąć pewne sprawy dotyczące prywatnych pieniędzy Putina, to z kolei Czemiezow jest pod ręką.

WJ: To są ludzie dla niego niezastąpieni. Kto z ważnych uważa, że awantura ukraińska była błędem?

HG: Coraz więcej się pojawia przecieków o tym, kto jak się zachowywał. Mamy oczywiste wystąpienie przeciw wojnie Naryszkina, mamy kontestację ze strony Patruszewa. Wiemy już, że Gref zgłaszał zastrzeżenia w sposób pragmatyczny, ekonomiczny. Ławrow podnosił poważne argumenty, Michaił Miszustin też, a to w końcu premier. Natomiast pełnego poparcia pomysłowi wojny udzielił Miedwiediew, ale co mnie zdumiało, coraz więcej wskazuje na to, że jednym z poważnych zwolenników wojny był Kirijenko.

WJ: Kirijenko jest byłym premierem i traktuje poparcie jako szansę powrotu.

HG: Tak, on idzie do góry.

WJ: Ale powiedzmy czytelnikowi szczerze, że próbujemy odtworzyć hierarchię, odtworzyć skład biura politycznego, ale prawdy nie znamy. Jedynie odczytujemy symptomy, znaki, wskazówki.

HG: Możemy mówić o różnym stopniu prawdopodobieństwa. Na pewno z wielkim stopniem prawdopodobieństwa musimy zaliczyć do tej grupy Miedwiediewa. Znaleźli mu wreszcie zastosowanie, chyba kolejny raz tworzą II filar władzy, drugą partię, która ma skonsumować ten nacjonalistyczny cyrk. Na pewno do tej grupy należy Patruszew, to jest poza jakąkolwiek dyskusją. Gdybym miał szukać w tej ósemce kogoś z tych gosmenedżerów, to uporczywie bym stawiał na

Czemiezowa, no bo bez zbrojeniówki w Rosji ani rusz. Pewnie bym umieścił w tej grupie jednak ciągle Szojgu. Zapewne także Wołodina i Kirijenko. Myślę, że do tej ósemki może aspirować i może zajmować w niej ważne miejsce Sobianin.

WJ: Mer Moskwy.

HG: Tak, ale to jest więcej niż mer Moskwy, bo on w życiu pełnił różne funkcje, które dają mu wszechstronne zawieszenie.

WJ: O Sobianinie dorzucę jedno słowo. W powszechnym przekonaniu opinii publicznej Sobianin był co najmniej niechętny wojnie. On się ewidentnie nie chciał fotografować na tle literki Z. Wypowiadał się o wojnie w sposób zimnotechniczny i używał bezokolicznikowej formy. Nawet językiem podkreślał dystans.

HG: On czeka na swój moment, tam jest przynajmniej dwóch takich, którzy nie demonstrują swoich ambicji, a mają je wielkie, czyli właśnie Sobianin i Kirijenko.

WJ: Czy ludzie w tej grupie są zainteresowani tylko utrzymaniem swoich wpływów, czy też są tam tacy, którzy chcą zostać pierwszymi?

HG: Myślę, że akurat w tej pierwszej ósemce jest kilku, którzy na to liczą, tylko mają różne scenariusze. Myślę, że Miedwiediew cały czas o tym myślał, a jak w pewnym momencie zaczęto mu dawać mniej, niż oczekiwał, zaczęły się frustracje i różne dziwne zachowania.

WJ: A czasy szacunku dla alkoholików w Rosji się skończyły.

HG: No właśnie. Ale tym niemniej on się nie pożegnał z ambicjami, tego dowodziły chociażby jego wyjazdy do Donbasu i Ługańska, gdzie przyjmował od miejscowych hołdy lenne. Wymuszał na nich przysięgi wierności, mówiąc, że oni tu z Wołodią już wszystko ustalili, ja będę następnym prezydentem.

WJ: Inaczej. Miedwiediew na pewno takie ambicje ma, ale też na pewno nie ma żadnych szans na ich realizację.

HG: To jest jedna sprawa, ale na razie mówiliśmy o samych ambicjach.

Rozdział VII

Kto po Putinie

Cisza po Buczy

Witold Jurasz: Opisaliśmy sobie te różne postaci i wychodzi nam portret technokratów, cyników, ludzi, którzy albo w nic nie wierzą, albo jeśli w coś wierzą, to tylko w państwo i ta wiara w państwo zastępuje im poglądy. Wychodzi nam obraz, o dziwo, ludzi raczej cywilizowanych, wykształconych, w większości z przeszłością w służbach, no ale nijak nie Jeżowa, nie Jagody, Berii, Abakumowa albo Mirkułowa. I to powoduje, że ja jednej rzeczy nie rozumiem. Mianowice następuje Bucza, następuje Irpień, a potem jeszcze Mariupol. Rosyjska armia nie tylko napada na Ukrainę, ale dopuszcza się regularnych zbrodni na ludności cywilnej. Wiele wskazuje na to, że nie są to – tu chodzi mi o Buczę – przypadkowe zbrodnie, nie są to zbrodnie „na spontanie", czyli takie, które, jakkolwiek źle to brzmi, zdarzają się podczas wojen. Również przecież Amerykanom, którzy mają na sumieniu My Lai. Problem polega na tym, że tu wygląda na to, że to było na rozkaz.

Hieronim Grala: To jest jedna z interpretacji.

WJ: Według tej interpretacji chodziło o to, żeby zmusić armię ukraińską do zmiany taktyki, a taktyka polegała na wycofywaniu się z miejscowości, których z militarnego punktu widzenia nie było sensu bronić. Po Buczy to się staje trudne, wręcz niemożliwe.

Mówiliśmy, że ludzie się boją, że oligarchia się boi. Ale gdy rozmawialiśmy o tej najściślejszej elicie władzy, użyłeś porównania do Stalina, ale z 1952 roku, czyli takiego, który inaczej niż Stalin w 1937 roku nie może mordować ludzi ze swojego otoczenia. No i oto to otoczenie widzi, że wódz sprowadził na państwo klęskę. Widzi, że tracą pieniądze. I wiedzą o Buczy, a nie są przecież, jak to już wyjaśniliśmy, jakimiś degeneratami. To dlaczego żaden z nich się nie zbuntował?

HG: Myślę, że jest kilka powodów. Jeden podstawowy jest taki, że istnieją pewne niezbyt chwalebne tradycje takiego, a nie innego prowadzenia wojny przez armię rosyjską przynajmniej od pięciuset lat. To można oczywiście tłumaczyć przeszłością, przemieszaniem doświadczeń europejskich z tradycją mongolską, z okrutnym niegdyś pacyfikowaniem miast ruskich przez Tatarów, przeniesieniem doświadczenia itd. Ale mamy jednak za Iwana Groźnego rzeź połockich Żydów i ludności miast inflanckich, za Aleksego Michajłowicza ma miejsce straszliwa rzeź Wilna (1655 rok) – w Europie mówiono o niej „sacco di Vilno", tak jak wcześniej „sacco di Roma" po barbarzyńskim spustoszeniu Rzymu przez habsburskich lancknechtów (1527 rok). W XVIII wieku mamy rzeź Izmaiłu, dokonaną przez Suworowa, i rzeź Pragi. Podczas powstania listopadowego – rzeź Oszmiany. Przecież żaden z tych przypadków do dzisiaj nie został potępiony, nawet w rosyjskiej nauce historycznej. W przypadku Suworowa kręci się o nim filmy i opowiada, że po pierwsze, tego nie zrobił, po drugie, miał rację, po trzecie, to była zemsta, i wszystko to mówi się jednym tchem. Już nie wspomnę o doświadczeniu wielkich wojen kaukaskich, bo wystarczy wziąć wielką literaturę rosyjską, wystarczy sięgnąć po *Hadżi-Murata* Tołstoja, gdzie się mówi otwartym tekstem, jak to wyglądało. Jeszcze przypomnijmy sobie naszego Wańkowicza opisującego wkroczenie armii carskiej do Prus Wschodnich w 1914 roku i opis tego samego regionu, czyli *Pruskie noce* Sołżenicyna. Armii wolno. Gdzieś w polskich wspomnieniach jest taka rozmowa, gdzie pada stwierdzenie „My tu wyzwalamy was – to jest mówione do męża gwałconej – my tu was wyzwalamy od faszystów, a wy nam baby żałujecie".

Ale jest jeszcze jedna sprawa dosyć istotna, i w przypadku Ukrainy, w przypadku Buczy, wydaje mi się bardzo prawdopodobna. A mianowicie to już się sprawdziło w Afganistanie i to również w Czeczenii było praktykowane – otóż armia jest wspomagana farmakologiczne na wielką skalę. Oni są po prostu naćpani. W armii carskiej przed szturmem Izmaiłu ponoć rozdawano wódkę kubłami. Alkohol był i jest w tej armii wszechobecny. Jak kapitan Rykow usprawiedliwiał klęskę swoich żołnierzy w *Panu Tadeuszu*? „Jegry byli pijani"... Teraz tylko specyfiki się zmieniły. Na froncie ukraińskim jako wspomagające środki farmakologiczne, z braku innych rzeczy, żołnierzom dawano również viagrę.

WJ: No to jeszcze i o gwałtach masowych więcej usłyszymy.

HG: Ależ oczywiście. Skala po prostu musiała być masowa.

WJ: Tylko że taka armia z armią wspieraną przez satelity, AWACS-y po prostu nie może wygrać.

HG: Z tym się nikt nie liczył, że te satelity będą, i że będzie tak silne wsparcie Zachodu. Ten brak reakcji, o który pytasz, jest w mojej ocenie po części efektem pewnego szoku, bo czy ktoś jest monarchistą, czy republikaninem, czy jest państwowcem, czy fanatykiem szowinistycznym, oni jak jeden mąż wszyscy byli przekonani, że ta wojna będzie wygrana, że nie będzie się długo ciągnęła. Malkontenci mieli wątpliwości co do ceny zwycięstwa, zadawali pytania, ile to Rosję będzie kosztować międzynarodowo i finansowo. Te Naryszkiny, Ławrowy i inni kontestatorzy myśleli o przyszłych sankcjach i skutkach politycznych, ale nie o tym, czy armia będzie mordować. Po prostu dla nich to nie ma znaczenia. Gdybyśmy mogli ich spytać, oni by nam powiedzieli, że tak już jest, że tak jest świat urządzony.

WJ: A poza tym amerykańska interwencja... I tu byśmy usłyszeli, ilu ludzi zginęło w Iraku.

HG: No bo też i zginęło, tylko że jak obydwaj rozumiemy, jednak jest różnica między tym, że się usuwa dyktatora ludobójcę, a tym, że się napada na demokratyczny kraj.

WJ: No dobrze, a rosyjska inteligencja? Bo ona naprawdę istnieje. U nas w Polsce czasem się mówi o Rosji z taką pogardą, jakby jej nie było, ale ona jest. Ale ona też milczy, emigruje, czasem – o tym nie zapominajmy – wychodzi na ulice, ale to jest garstka. To gdzie się podziała ta rosyjska inteligencja?

HG: Cóż, rosyjska inteligencja to jednak pojęcie bardzo rozległe, niejednorodne. Są wśród niej także uwiedzeni przez zło, które przecież długo nosiło patriotyczną, pragmatyczną maskę. Wystarczy zajrzeć na profile środowisk prawicowych: przecież na naszych oczach spora część prawosławnej prawicy, rozprawiającej o mistyce i wyższości prawosławia, przepoczwarzyła się w nową czarną sotnię.

WJ: Czy wiara w cywilizacyjną misję rosyjskiego chrześcijaństwa daje się pogodzić z ludobójstwem?

HG: Nie bardzo, zatem usypia się sumienie uporczywym powtarzaniem bredni o mistyfikacji w Buczy, o inscenizacji etc. Z drugiej strony przecież niemała część opinii publicznej w Niemczech i Italii również ignoruje oczywiste fakty, ba – maszeruje w antywojennych, czytaj anty-NATO--wskich, a zatem antyukraińskich – pochodach. Zatem domagając się od Rosjan uderzenia w piersi, nie zapominajmy o naszych, europejskich. Warto też pamiętać, iż do naszych mediów rzadko przebijają się doniesienia o jakichkolwiek akcjach protestu, obywatelskiego nieposłuszeństwa czy chociażby prostych, ludzkich gestach solidarności Rosjan z mordowanym narodem ukraińskim. Nie przebijają się także dlatego, że nie pasują do naszego stereotypu. Pamiętasz spór o potraktowanie na wiecu w Warszawie przedstawicieli rosyjskiej opozycji demokratycznej, którzy chcieli się do tej akcji przyłączyć? Znam niektórych z nich, to są ludzie, którzy pozostają w sporze z putinowskim reżymem od lat, niektórzy z nich dawno opuścili ojczyznę. A zatem przejawy protestu istnieją mimo niewątpliwego ryzyka i są ważne, bo świadczą o zachowaniu człowieczeństwa, o poczuciu winy.

Pozwolę sobie na przykład z mojego umiłowanego Petersburga, miasta o szczególnej roli inteligencji, ale także miasta o głębokiej świadomości okropności wojny. Kiedy rakieta uderzyła w budynek mieszkalny w Dnieprze, mieszkańcy północnej stolicy poszli składać kwiaty pod pomnikiem Szewczenki, zapalać świece, kłaść dziecięce rysunki, dziecięce zabawki i buciki. Władza nie do końca wiedziała, jak ma na to zareagować, więc jedynie usuwano regularnie te przedmioty, a ludzie do późnej nocy nieśli nowe. Wierzę, że to jednak coś znaczy. Nie mogę też przemilczeć, iż wśród moich przyjaciół, kolegów i znajomych są tacy, którzy stracili pracę, zostali wyrzuceni bądź odeszli z niej na znak protestu wobec postawy swych władz. Są tacy wśród uczonych, ludzi sztuki, muzyków. Są wśród nich ludzie niemłodzi, w wieku przedemerytalnym, są ludzie chorzy, tracący w ten sposób świadczenia socjalne. Nie wszyscy mogą wyjechać, nie wszyscy mają dokąd. Rozjechał się po świecie moskiewski Memoriał i daje świadectwo prawdzie. Znam nawet takich, którzy przekazywali pieniądze na pomoc dla Ukrainy. A przecież postępują w ten sposób nie tylko wbrew swoim władzom, ale także wbrew postawie i poglądom większości społeczeństwa, swojej hierarchii cerkiewnej, niekiedy – wbrew swoim rodzinom. W imię biblijnej przypowieści o sprawiedliwych w Sodomie nie możemy tego ignorować. Warto też jednak dodać, iż niekiedy nawet przysięgli demokraci dali się nabrać tej władzy (zresztą nie tylko w Rosji, wystarczy sobie przypomnieć, kto korzystał z zaproszeń do Klubu Wałdajskiego). Pamiętasz przecież Ludmiłę Aleksiejewą, legendę rosyjskiej opozycji, współzałożycielkę – wraz z Andriejem Sacharowem – Grupy Helsińskiej? Staruszka, która potrafiła wyjść na demonstrację i pod pałki w kostiumie Snieguroczki. Otóż kilka lat temu, już po aneksji Krymu, przyjęła z okazji jubileuszu u siebie w domu Putina! Dzisiaj nie ma jej wśród nas, na Ukrainę spadają bomby, szerzy się zbrodnia i przemoc, a jej ówczesny gość rozwiązał właśnie Grupę Helsińską. Symboliczne, nieprawdaż?

Delfinarium

WJ: Putin ma lat siedemdziesiąt, pożyje może pięć, może piętnaście, ale wiemy, że prędzej czy później zniknie. Rosja za lat dziesięć lub dwadzieścia będzie rządzona przez tych, którzy wyjechali, ale wrócą, przez tych, którzy zostali i milczą, czy też przez tych, o których rozmawialiśmy, lub ich następców?

HG: Moja diagnoza niestety nie będzie optymistyczna. Zakładam, że Rosja będzie rządzona przez tych, którzy się przy władzy utrzymają. Tylko ci, co są w środku, bo w żadną wielką rewolucję nie wierzę, mogą skorygować ten kurs, mogą wycofać się z wojny, mogą za pośrednictwem Zachodu próbować zawrzeć pokój czy rozejm, ułożyć sobie stosunki z Ukrainą, ale przede wszystkim z pozostałym światem. Rządzić będą ludzie z wewnątrz systemu.

WJ: Nowa elita będzie wyłoniona ze starej.

HG: Zgodnie z tradycją.

WJ: To by znaczyło, że jeżeli nawet w dzisiejszej elicie władzy są ludzie, którym się nie podoba to, co się dzieje, to oni również, chcąc kształtować rzeczywistość po Putinie, o ambicjach zdobycia władzy nie wspominając, muszą na razie pozostać w jego kręgu.

HG: Tak, chociażby po to, żeby nie stracić szansy na przejęcie władzy, żeby nie spalić swoich możliwości, bo tylko będąc w środku władzy, mogą w pewnym momencie sięgnąć po aparat ucisku, po środki administracyjne i po zasoby państwa.

WJ: Czyli będą rządzić albo ci już u władzy, albo ci, których będący u władzy wykreują. Znów służby?

HG: Ja bym powiedział tak, że ci, którzy mają swoją genealogię bezpośrednio wywodzącą się ze służb, rządzić nie będą. To będą raczej ci, którzy mają powiązania ze służbami albo uchodzą za zimnych technokratów, albo za umiarkowanych imperialistów. Spójrz, proszę, na początek pierestrojki. Mieliśmy tam setki postaci, które wydawały się mieć kwalifikacje na nowych liderów, trybunów ludowych, osoby ze świata kultury, które wydawały się ważne dla społeczeństwa. Ale jak się to wszystko przemieliło przez żarna procesu historycznego, to się okazało, że nowa elita polityczna nie była elitą pozasystemową. To wszystko byli ludzie, którzy wyszli z jądra systemu. Tak naprawdę jak zaczynamy się przyglądać, kto miałby wziąć władzę w Rosji, to nagle okazuje się, że jedyną rozpoznawalną postacią opozycji jest Nawalny. Tyle że Nawalny siedzi pod kluczem i nie ma żadnego przełożenia na władzę. No to niby jak ma wziąć udział w wyścigu po władzę. Cała rzekoma wewnętrzna opozycja i opozycja na emigracji jest po prostu marionetkowa i nie ma żadnych wpływów politycznych. Opozycji wewnątrz systemu jako takiej nie widzimy. W związku z czym komentatorzy rozpaczliwie wymyślają kandydatury „kucharza" Putina czy Ramzana Achmatowicza, o których wiadomo, że są kandydatami egzotycznymi.

WJ: A kto jest poważnym kandydatem?

HG: Najpierw sięgnijmy wstecz. Czy Putin nie był zaskoczeniem? Był. A wcześniej jak było? Jak było, gdy odsuwano od władzy Chruszczowa? Przecież to też było zaskakujące, że tak pewną ręką rządy wziął Breżniew, bo istniało paru innych, wydawałoby się mocniejszych, kandydatów. Z tego płynie podstawowy wniosek, że możemy co najwyżej nakreślić krąg, z którego zapewne wyłoni się przyszły prezydent.

WJ: No to przejdźmy do naszego delfinarium. Omówiliśmy najważniejszych ludzi obecnej elity władzy, wśród których może kryć się przyszły car, ale wśród tych, o których mówiliśmy, nie było kilku osób, które dziś, zajmując mniej eksponowane stanowiska, mają tym niemniej duże szanse, żeby być delfinami. Pierwszym człowiekiem, którego nazwisko się nasuwa, jest Siergiej Kirijenko, czyli były premier, później przez wiele lat szef Rosatomu, czyli czegoś, co jest równocześnie agencją energii atomowej, koncernem odpowiadającym za budowę elektrowni atomowych, w tym również tych poza granicami Rosji.

HG: No i też zaangażowanym w proces produkcji broni jądrowej.

WJ: Mój problem z Kirijenką polega na tym, że ilekroć o nim pomyślę, muszę sobie przypomnieć jego twarz. Politycznie z kolei widzę Angelę Merkel, przy czym nie jest to niestety komplement, bo mam na myśli to, że on jest perfekcyjnie nijaki.

HG: Powiedziałbym może odrobinę inaczej – to znaczy podobieństwo z Merkel jest rzeczywiście widoczne, ale to nie jest chyba wynik bycia nijakim, a zdolności do konwergencji. Kirijenko potrafi się znakomicie dostosowywać również do nowych, a nawet niekorzystnych dla siebie warunków.

To jest ktoś, kto jest w stanie w sposób drastyczny, ale zarazem niekompromitujący na dłuższą metę przeciąć związki ze swoim poprzednim wcieleniem.

WJ: To już go różni od wielu cwaniaczków z naszego polskiego podwórka, bo oni zmieniają strony bez żadnej klasy i bez żadnego wdzięku. Słowem jest naprawdę inteligentny.

HG: Dokładnie. Kirijenko potrafi znakomicie odcinać się od ludzi, w tym tych, którym zawdzięczał wejście do polityki. Przykładowo po śmierci Niemcowa on, człowiek władzy, napisał tekst, w którym nawet uronił łzę, ale zarazem wszyscy rozumieli, że się od Niemcowa wcześniej już odwrócił. W jego przypadku ten specyficzny rodzaj konformizmu ma jednak bardzo konkretny powód. Przypominam otóż, że on, znajdując się na parnasie władzy i rywalizując tam z osobami mocno grającymi treściami narodowymi i religijnymi, zmaga się ze swoim „niepochodzeniem".

WJ: Źle to brzmi.

HG: Ależ nie. Ja opisuję realia takie, jakimi one w Rosji są. A są takie, że jak się ma nazwisko rodowe Izraitiel, to, wybacz, ale w okresie wzmożenia nacjonalistycznego czy też raczej w okresie, gdy zwycięża ideologia...

WJ: ...czarnosecinna...

HG: ...to pochodzenie żydowskie atutem raczej nie jest. Ale skoro o nazwiskach mowa, to powiedzmy też o „otczestwie" naszego bohatera. A nazywa się on Siergiej Władilenowicz Kirijenko.

WJ: Władilen to imię powstałe od połączenia Władimira i Lenina.

HG: No i jesteśmy w domu, bo ojciec był mało istotnym, ale jednak działaczem partyjnym. Ale najśmieszniejsze w tym wszystkim jest to, że pochodzenie Kirijence złośliwie wyciągnęła prasa izraelska, co skądinąd było ponoć sprokurowane przez środowisko prasowe związane z tak dobrze znanym nam oligarchą i w swoim czasie przewodniczącym Europejskiego Kongresu Żydowskiego Mosze Kantorem, który w Polsce zasłynął, gdy zorganizował w Izraelu konferencję w Jad Waszem, podczas której nie przewidziano wystąpienia prezydenta RP.

WJ: No ale nie chcesz mi przez to powiedzieć, że skoro pochodzenie Kirijence wypominały środowiska żydowskie, to antysemityzm tych realnie nacjonalistycznych jest udawany?

HG: Ależ broń Boże, ale czy antysemityzm tych, którzy z antysemityzmu robią narzędzie polityczne, jest autentyczny, czy też oni „jedynie" grają na tym, co i tak jest w narodzie, to już zupełnie inna kwestia.

WJ: Kirijenko był premierem, a następnie już nigdy, ujmijmy to tak, nie poszybował aż tak wysoko.

HG: Tak, on dość mocno spadł z piedestału, ale równocześnie zachował coś, co jest cenniejsze od stanowisk, to jest nić porozumienia, a nawet sympatii z Putinem. Do dziś jest jednym z tych, którzy są z Putinem po imieniu. Swoją drogą to on przecież był tym, który poinformował Władimira Władimirowicza, że ten został szefem FSB; zresztą parafował to, będąc premierem! Ważniejszy jednak był zupełnie inny moment. Ten mianowicie, gdy Kirijenko składa Putinowi, mimo ich bliskiej znajomości, hołd po zdobyciu przezeń władzy, całkowicie oddając się do jego dyspozycji.

WJ: A car, gdy szuka delfina, zada sobie pytanie, kto był zawsze wierny mimo tego, że

został najpierw poniżony, a potem mimo wierności nie został wywyższony. Kto nie spiskował, kto
czekał i kto był zawsze lojalny. I wtedy może się
okazać, że ktoś taki jest w cieniu.

HG: Błogosławieni cisi, albowiem oni po-
siądą ziemię.

WJ: No ale nie chcesz mi powiedzieć, że
Kirijenko jest delfinem, który nie robił zupełnie
nic, by się owym delfinem stać?

HG: Ależ w żadnym razie. Kirijenko powoli i cierpliwie budował wierny sobie „adminresurs",
czyli zaplecze kadrowe w administracji.

WJ: Kirijenko jest, o ile oczywiście data
urodzenia Putina nie jest sfałszowana i on nie jest
dwa lata starszy, niż się podaje, jest o dziesięć lat
młodszy. Czyli w sam raz, by nie być całkowicie
przejściową postacią, ale za młody...

HG: ...by porządzić niebezpiecznie długo.

WJ: Czyli jest idealny. A wywodzi się ze
służb?

HG: Chyba nie.

WJ: A czy to nie jest tak, że skoro on się nie wywodzi ze służb, to jest to paradoksalnie atutem, bo Putin rozumie, że jeżeli przekaże władzę komuś wywodzącemu się ze służb, to ten ktoś będzie miał natychmiast całą władzę. A jak to będzie ktoś spoza służb, to nie będzie miał całej władzy.

HG: Dokładnie tak. Poza tym Kirijenko ma jeszcze jedną zaletę. Otóż on nie tyle podąża za Putinem, co zawczasu odgaduje, czego będzie sobie wódz życzył. To on na przykład wprowadził do obiegu na nowo wyrażenie „wojna ojczyźniana"...

WJ: ...która oczywiście zarazem wojną nie jest, bo jest specjalną operacją wojskową.

HG: Jest jeszcze jeden wątek niesłychanie istotny. Otóż to jest intelektualnie człowiek bardzo sprawny i oczytany. Wywodzi się z zupełnie innego środowiska niż prawie cała elita polityczna Rosji. W młodości był związany ze środowiskiem tzw. Metodologów (krąg filozofa i skrajnego konstruktywisty Szczedrowickiego) – to byli ludzie, których pasjonowało, powiedziałbym, spekulowanie rzeczywistością, to znaczy oni sobie wymyślali tezę, której trzeba dowieść, a potem tej samej tezie zaprzeczyć. Warto zauważyć, iż to właśnie w tym środowisku ukształtowała się lingwistyczna koncepcja „ruskiego miru". To są ludzie niesłychanie dobrze przygotowani do umiejętnego przeformatowania rzeczywistości.

WJ: Czyli intelektualnie Kirijenko od młodości pasjonuje się tworzeniem alternatywnej rzeczywistości. No to w istocie nadaje się na delfina.

HG: To jest do szpiku kości cyniczny pragmatyk, który od swoich konkurentów różni się tym, że wielokrotnie dowiódł, że jest jak Feniks odradzający się z popiołów i że dysponuje tym, co jest dane tylko wybitnym politykom, a mianowicie potrafi klęskę przekuć na zwycięstwo.

WJ: I potrafi czekać, co też cechuje tylko naprawdę mądrych polityków tudzież tych ludzi, którzy chcą do niej dołączyć.

HG: On zawsze na miękko odchodzi z ekipy, która traci władzę, dołącza do perspektywicznej bez ostentacji i nigdy nie staje na scenie w świetle reflektorów.

WJ: Czyli rozumie, że kto wchodzi na konklawe jako papież, wychodzi z niego jako kardynał. Kolejny delfin to chyba mer Moskwy Siergiej Sobianin, czyli człowiek, który rzeczywiście zmienił

Moskwę na lepsze, bo rosyjska stolica pod rządami Sobianina jest sprawnie zarządzana. Mer dał sobie radę z pandemią lepiej niż inni i chyba jest podobny do Kirijenki w tym sensie, że zawsze pozostawał w cieniu.

HG: Mówimy o nim jako o drugim papabile, ale numerem dwa bym go nie nazwał. Nie zmienia to faktu, że może właśnie dlatego trzeba o nim powiedzieć.

WJ: Bo ci z czwartego czy piątego miejsca czasem, gdy czołówka peletonu się powycina, potrafią na ostatniej prostej wyprzedzić innych.

HG: Zacznijmy od jego obiektywnych zasług. Obiektywną zasługą jest to, że rzeczywiście w Moskwie pod jego rządami zapanował porządek. Było znacznie czyściej, zimą zaczęto na czas odśnieżać miasto, poprawił się transport. Walka z CO-VID-em to już jednak nie do końca jego zasługa, ten sukces był wszak efektem ubocznym działań na innym polu i w innym celu.

WJ: A to ciekawa opinia. Czemu?

HG: Moskwa pod rządami Sobianina stała się miastem do tego stopnia monitorowanym, że gdy zarządzono określone restrykcje, to ich egzekwowanie było stosunkowo nietrudne. Ten system panujący w Moskwie powstał jednak nie dzięki Sobianinowi – pogromcy COVID-u, ale po to, by w razie protestów społecznych można było łatwo wyławiać ludzi z tłumu, blokować niektóre rejony miast etc.

WJ: Jak blisko Putina jest Sobianin, bo żeby być delfinem, trzeba być w łaskach przede wszystkim u niego, a dopiero później jego otoczenia.

HG: Sobianin był autorem, w 2001 roku, wniosku o wydłużenie kadencji prezydenckiej do siedmiu lat, więc zaczął zasługiwać się wodzowi dawno temu. Jego wielka kariera zaczyna się jednak w 2005 roku, kiedy zastąpił Dmitrija Miedwiediewa na stanowisku szefa administracji prezydenta.

WJ: Tu wyjaśnijmy, że to jest tak naprawdę najważniejszy urząd w całej Rosji, ważniejszy od każdego ministerstwa, a kto wie, czy nawet nie od urzędu premiera. Czy to, że z szefa administracji, a następnie wicepremiera przechodzi na stanowisko mera Moskwy, to, tak jak może się na pozór wydawać, degradacja?

HG: Absolutnie nie, to raczej dowód wielkiego zaufania, bo odzyskanie Moskwy było zupełnie kluczowe dla elity władzy.

WJ: Moskwą wcześniej rządził Jurij Łużkow, który był bardziej carem Moskwy niż jej merem.

HG: I miał gust tak zły, że odwołanie Łużkowa z punktu widzenia estetyki miasta należy uznać za zbawienne. Za to z politycznego punktu widzenia objęcie przez Sobianina tego urzędu było elementem pacyfikowania systemu. Sobianin zapewnił ekipie Putina pełną kontrolę nad sercem państwa.

WJ: Sobianin wywodzi się ze służb?

HG: Nic na to nie wskazuje. To prowincjusz, którego korzenie tkwią w regionie przyuralskim, wywodzi się zresztą ze środowisk, wśród których do służb w czasach radzieckich nie rekrutowano zbyt usilnie: zamożne chłopstwo (czyli kułacy), a co gorsza – w linii ojcowskiej – staroobrzędowcy. Mężczyźni z jego rodu raczej wojowali, i to tęgo: dziadek po kądzieli był weteranem wojny rosyjsko-japońskiej i kawalerem Orderu św. Jerzego, służył u Budionnego, zaś czterej stryjowie brali udział w wojnie ojczyźnianej. Jego własna kariera nosi zresztą przez długi czas charakter nie tyle polityczny, co administracyjny: dopiero wstąpiwszy w szeregi Jednej Rosji, odkrył dla siebie politykę i zaczął robić karierę, jak to on: sprawne, metodycznie i ostrożnie.

WJ: Czy jego siłą nie jest to, że nie jest bezpośrednio zaangażowany w wojnę w Ukrainie? Co prawda został objęty choćby amerykańskimi sankcjami, ale w razie zmiany kursu byłby chyba akceptowalny dla Zachodu?

HG: Dokładnie tak, przy czym Sobianin jest z jakiegoś zupełnie irracjonalnego powodu zaliczany przez opinię międzynarodową do grupy tych w elicie władzy, którzy zachowują margines niezależności od Putina. W rzeczywistości nic takiego nigdy nie miało miejsca. Jego siłą jest jednak to, że zastosował odwrotność polityki Kirijenki, to znaczy nie pozwolił sobie na ani jedno drastyczne wystąpienie przez cały ostatni rok. W wiecach oczywiście brał udział, łącznie z tym najważniejszym, na którym świętowano przyłączenie ukraińskich terytoriów do Rosji, widzieliśmy go podczas sławetnego koncertu na Łużnikach (marzec 2022 roku), ale widać też było, że starał się kreować na raczej fachowca i „uprawlienca".

WJ: To swoją drogą kluczowe słowo. Wyjaśnij je, proszę.

HG: „Uprawlieniec" to tyle, co człowiek, który „uprawliajet", czyli zarządza, w domyśle oczywiście sprawami państwowymi.

WJ: Przejdźmy do najbardziej chyba tajemniczego delfina, czyli Dmitrija Kozaka. Człowieka, który ma być w niełasce, bo był przeciwny wojnie.

HG: No to może zacznijmy od praprzyczyny takiej odwagi. Oszczędzę ci pytania o powiązania ze służbami. On otóż służył w specnazie GRU, czyli oddziałach specjalnych wywiadu wojskowego. I to było, zanim jeszcze poszedł na studia, a na studiach – jako człowiek już z GRU – trafia, a jakże, na Wydział Prawa Uniwersytetu Leningradzkiego, gdzie wykładał Sobczak. Przez jakiś czas był nawet prokuratorem. Potem trafia oczywiście do merii do Sobczaka. Z czasem osiąga nawet godność wicegubernatora, tyle że przy kolejnym „grododzierży" – Jakowlewie, ale potem wpada w niełaskę, przy czym nie u samego gubernatora, ale u jego wszechwładnej żony, która była złośliwie nazywana najbardziej wpływowym politykiem nad Newą.

WJ: To był konflikt polityczny?

HG: No nie żartuj. Polityczne spory można wygładzić. Zabójcze dla kariery, a czasem nie tylko dla niej, były te ekonomiczne.

WJ: Ale przychodzi ten moment, gdy Kozak może liczyć na Putina, z którym zawarł wcześniej bliższą znajomość w Smolnym.

HG: I trafia dzięki temu do Moskwy do aparatu rządowego. No i tu zaczyna się oczywiście jego wielka kariera. Albo jest w aparacie prezydenta, albo w aparacie rządu. Kluczowy jest, z naszego punktu widzenia, ten moment, gdy on zaczyna się zajmować zagranicą.

WJ: I tu, przyznam ci się szczerze, mam poważną wątpliwość. Otóż Kozak jest niewątpliwie rosyjskim imperialistą. Tyle że wiemy na podstawie tego, co Kozak robił na kierunku mołdawskim i na ukraińskim, że on był imperialistą cierpliwym, takim, który chciał prowadzić rosyjską rekonkwistę przestrzeni posowieckiej na miękko, czy też raczej udając, że ona jest czyniona na miękko. Zastanawiam się, czy gdyby Rosjanie poszli tym kursem, nie byłoby to dla nas koniec końców groźniejsze niż to szaleństwo, które ma miejsce dzisiaj.

HG: Mogłoby by być, bo miałoby to większe szanse powodzenia.

WJ: Czy Kozak byłby akceptowalny dla kremlowskiej elity, skoro był przeciw wojnie?

HG: No ale wyszło na to, że miał rację, nieprawdaż?

WJ: A dla Zachodu?

HG: Mniej niż, powiedzmy, Sobianin, ale bardziej chyba niż pozostali pretendenci. Poza tym jest dobrze rozpoznawalny, chociażby przez aktywny udział w pracach strony rosyjskiej w ramach formatu normandzkiego.

WJ: Zostało nam jeszcze dwóch delfinów, spośród których jeden w kraju demokratycznym byłby już dziś na szczycie władzy, a w Rosji pełni funkcję szefa zupełnie drugorzędnego organu władzy, czyli parlamentu. Czy Wiaczesław Wołodin to naprawdę poważny kandydat do tronu?

HG: To jest w pewnym sensie bardzo dziwny polityk. Otóż on bodaj jako jedyny z delfinów nie ukrywa swoich ambicji, a kolokwialnie mówiąc, po chamsku się rwie do władzy, do obejmowania najwyższych urzędów w państwie. Z jakiegoś powodu nigdy mu to jednak nie zaszkodziło.

WJ: Może dlatego że nikt nie brał go nigdy na serio?

HG: A to akurat bywa w takich kremlowskich rozgrywkach czasem atutem.

WJ: Kim jest Wołodin?

HG: Aparatczykiem. To jest człowiek, który w gruncie rzeczy nie do końca wiadomo skąd się w tej wielkiej polityce w ogóle wziął. Był prowincjonalnym wicegubernatorem. Potem, owszem, był nawet wicepremierem, potem pierwszym zastępcą szefa administracji prezydenta. Jednak naprawdę robił karierę funkcjonariusza partyjnego. Sprawnie manewrował w chwili narastającego konfliktu Putina i Miedwiediewa, bo na stanowisku wiceszefa administracji utrzymuje się i za prezydentury pierwszego, i drugiego. Zabawne przy tym jest jednak to, że w pewnym momencie Wołodin uwierzył, że Putin może ponownie nie kandydować. No i zaczął wszem i wobec mówić, że jest gotów zgłosić swoją kandydaturę (nawet znalazł poparcie w środowiskach cerkiewnych), co osobiście wyśmiał Putin, mówiąc, że kandydat na prezydenta powinien być zgłoszony przez kogoś więcej niż przez samego siebie, a najlepiej – przez naród. Zwróć uwagę, że wcale mu to nie zaszkodziło.

WJ: No to by potwierdzało moje przekonanie, że po prostu nikt go na serio nie traktował, bo nadmierne ambicje szkodzą tylko tym, których ktokolwiek się obawia.

HG: Może i tak, ale Wołodina nie skreślaj za łatwo, bo on się uczy. Po tym wyśmianiu przez Putina on jednak zrozumiał, że tylko pokora i jeszcze raz pokora to przepustka do zaszczytów. I zaczyna wychwalać Putina, a zarazem staje się dobrodziejem środowisk prawicowo-nacjonalistycznych. Zaczyna nienawistnie mówić o Zachodzie.

WJ: Czyli wyczuwa, skąd wieje wiatr.

HG: Tak, ale nie zgadzam się zarazem z opinią, która się czasem pojawia, że on jest dziś ideologiem partii, który przejął funkcję po Surkowie, bo jednak Surkow wymyślał idee, a Wołodin wymyśla tylko hasła. Surkow wymyślał politykę dla Rosji, w ramach której z czasem mogło nie być w niej miejsca dla Putina i nawet dla niego samego. Dla Wołodina najważniejsza nie jest Rosja, a Wołodin.

WJ: No dobrze, ale jakim cudem mielibyśmy uznać, że pan nikt może zostać prezydentem?

HG: Ano z prostego powodu. Otóż właśnie przez tę swoją nijakość może być kompromisowym kandydatem, kimś, kto pozwoli się ułożyć różnym środowiskom, pomiędzy którymi są bardzo ostre podziały. Dodajmy, iż Wołodin – doświadczony aparatczyk – ma swoją, dość liczną, klientelę w Dumie, ale zachował też niemałe wpływy w strukturach partii władzy z czasów, gdy był sekretarzem generalnym oraz w administracji prezydenta. Ponadto spośród wszystkich kandydatów ma największe poparcie Cerkwi, a wreszcie – jest człowiekiem bardzo zamożnym, co znakomicie ukrywa.

WJ: No dobrze, a czy możemy podejrzewać, że za jego miałkością i intelektualną mizerią coś się kryje? On dał kiedykolwiek jakąkolwiek wskazówkę, że reprezentuje sobą więcej niż to, co widzimy?

HG: A co sobą w powiedzmy 1999 roku reprezentował Władimir Putin? Dla większości osób był przecież całkowicie nierozpoznawalny. Nikt na rok przed tym, jak Putin został prezydentem, nie zakładał, że zostanie prezydentem. Padały nazwiska kandydatów wagi ciężkiej – chociażby wspomnianego już wcześniej Primakowa. No i Czernomyrdina – polityka wagi ciężkiej, wieloletniego premiera.

WJ: Autora, tej dygresji nie możemy sobie darować, dwóch najsłynniejszych powiedzonek, czyli „Jakiej byśmy partii nie budowali, i tak wychodzi KPZR".

HG: I „Chcieliśmy jak najlepiej, a wyszło jak zawsze". Te powiedzenia swoją drogą przeszły do legendy, ale też spowodowały, że Czernomyrdina traktowano nie do końca na serio. A to był bardzo poważny polityk. Wspomnienie Primakowa i Czernomyrdina w kontekście naszych rozważań o dzisiejszej kondycji rosyjskich elit władzy ma znaczenie szczególne: oto w ich osobach widzimy państwowców par excellence, zapatrzonych w wizję rosyjskiej mocarstwowości opartej na harmonijnym rozwoju gospodarczym i szeroko pojętej współpracy z Zachodem. Zdolnych do dramatycznych gestów w imię autorytetu państwa (ostry sprzeciw wobec decyzji NATO o bombardowaniu Jugosławii – tzw. pętla Primakowa), ale także do pacyfikacji krwawej wojny czeczeńskiej kosztem poważnych ustępstw ze strony Moskwy, a nawet do podejmowania w służbie publicznej osobistego ryzyka (rokowania Czernomyrdina z Basajewem w Budionnowsku). Zdolnych oprzeć się pokusie przejęcia władzy w obliczu ciężkiego stanu prezydenta (Czernomyrdin, jesień 1996 roku), mimo zachęty ze strony wpływowych polityków. Wreszcie – bardzo odległych od praktyki żarłocznego zawłaszczania mienia publicznego. Podobnych im raczej trudno dostrzec wśród obecnej elity.

WJ: Przejdźmy do ostatniego z naszych pretendentów do tronu, czyli Andrieja Turczaka, czyli jednego z liderów Jednej Rosji, czyli partii rządzącej, z zastrzeżeniem, że słowo „partia" nie do końca oddaje, czym jest ta struktura. Skąd się bierze siła Turczaka?

HG: Przede wszystkim z majątku, który ma dzięki ojcu. Turczak jest po prostu człowiekiem bardzo bogatym. Ja do dzisiaj skądinąd nie rozumiem, dlaczego Turczak się nie pojawia na listach najbogatszych Rosjan, skoro już dwa lata temu majątek jego rodziny oceniano na blisko miliard dolarów. Wyjaśnijmy historię tych pieniędzy. Otóż ojciec Turczaka był legendarną postacią Petersburga, gdzie w okresie pierestrojki uwłaszczył się na bardzo ważnym przedsiębiorstwie Leniniec. No i oczywiście znalazł się też w latach dziewięćdziesiątych w kręgu Sobczaka, a w ślad za tym również i Putina. Syn, czyli nasz bohater, zaczynał od młodzieżowej przybudówki partii władzy. Potem został gubernatorem Pskowskiej Oblasti i mimo że nie uchodził za skutecznego, został sekretarzem generalnym Jedynej Rosji, czyli jest tam drugim człowiekiem. Równocześnie jest też wiceprzewodniczącym Rady Federacji. Ewidentnie pokazuje, że ma dalej idące ambicje.

WJ: Nie jest za młody?

HG: Owszem, ma czterdzieści siedem lat, czyli jest ponad dziesięć lat młodszy od Wiaczesława Wołodina, który na tle kremlowskiej elity również uchodzi za człowieka stosunkowo młodego. O następcy – w każdym razie póki co – będzie jednak decydował głównie Putin i tu jest pewna bardzo ważna okoliczność, która sprzyja młodemu Turczakowi. Otóż on się u Putina wychowywał niemal na kolanach. Jest trochę jak rodzina. Putin ze starym Turczakiem działali wspólnie w ruchu wspierającym sport, w petersburskim klubie piłkarskim Zenit. Oni się znają od niepamiętnych czasów i żaden inny przedstawiciel młodszego pokolenia chyba nie ma aż takich relacji z Putinem. To była tak bliska relacja, że stary Turczak mógł sobie pozwolić na konkurowanie w zakresie biznesu z innymi najbliższymi ludźmi z tego petersburskie-go otoczenia Władimira Władimirowicza.

WJ: Turczak byłby więc wiarygodny jako gwarant dla „rodziny Putina", tak jak kiedyś Putin okazał się wiarygodny jako gwarant nienaruszalności majątków „rodziny Jelcyna"?

HG: Dokładnie tak.

WJ: Jesteś gotów zaryzykować i powiedzieć, kto ma największe szanse, by zastąpić Putina?

HG: Tego jeszcze nie wie nikt. Ani FSB, ani CIA, ani ten, kto Putina zastąpi. Ani nawet Putin.

Spis treści

Przeczytaj również:

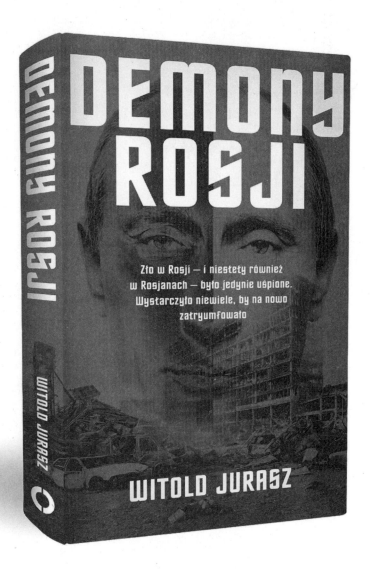

Książka dostępna także jako ebook i audiobook